Eduardo Galeano
(1940-2015)

Eduardo Galeano nasceu em Montevidéu, no Uruguai. Viveu exilado na Argentina e na Catalunha, na Espanha, desde 1973. No início de 1985, com o fim da ditadura, voltou a Montevidéu.

Galeano comete, sem remorsos, a violação de fronteiras que separam os gêneros literários. Ao longo de uma obra na qual confluem narração e ensaio, poesia e crônica, seus livros recolhem as vozes da alma e da rua e oferecem uma síntese da realidade e sua memória.

Recebeu o prêmio José María Arguedas, outorgado pela Casa de las Américas de Cuba, a medalha mexicana do Bicentenário da Independência, o American Book Award da Universidade de Washington, os prêmios italianos Mare Nostrum, Pellegrino Artusi e Grinzane Cavour, o prêmio Dagerman da Suécia, a medalha de ouro do Círculo de Bellas Artes de Madri e o Vázquez Montalbán do Fútbol Club Barcelona. Foi eleito o primeiro Cidadão Ilustre dos países do Mercosul e foi o primeiro escritor agraciado com o prêmio Aloa, criado por editores dinamarqueses, e também o primeiro a receber o Cultural Freedom Prize, outorgado pela Lannan Foundation dos Estados Unidos. Seus livros foram traduzidos para muitas línguas.

Livros do autor publicados pela **L&PM** EDITORES:

Amares
Bocas do tempo
O caçador de histórias
De pernas pro ar: a escola do mundo ao avesso
Dias e noites de amor e de guerra
Espelhos – uma história quase universal
Fechado por motivo de futebol
Os filhos dos dias
Futebol ao sol e à sombra
O livro dos abraços
Mulheres
As palavras andantes
Ser como eles
O teatro do bem e do mal
Trilogia "Memória do fogo" (Série Ouro)
Trilogia "Memória do fogo":
 Os nascimentos (vol.1)
 As caras e as máscaras (vol.2)
 O século do vento (vol.3)
Vagamundo
As veias abertas da América Latina

Eduardo Galeano

FUTEBOL AO SOL E À SOMBRA

Tradução de Eric Nepomuceno *e* Maria do Carmo Brito

Edição atualizada

www.lpm.com.br

Coleção **L&PM** POCKET, vol. 383

A L&PM Editores agradece à Siglo Veintiuno Editores pela cessão das capas, que conferiram uma identidade visual comum à obra de Eduardo Galeano, tanto na América como na Europa.

Texto de acordo com a nova ortografia.
Título original: *El Fútbol a sol y sombra*
Este livro teve sua primeira edição pela L&PM Editores, em formato 14x21, em dezembro de 1995
Primeira edição na Coleção **L&PM** POCKET: setembro de 2004
Esta edição: novembro de 2024

Tradução: Eric Nepomuceno e Maria do Carmo Brito
Tradução do capítulo **O Mundial de 98**: Sergio Faraco
Tradução do capítulo **A Copa de 2002**: Ernani Ssó
Tradução do capítulo **A Copa do Mundo de 2006**: Marlova Aseff
Tradução do capítulo **A Copa do Mundo de 2010**: Marlova Aseff
Tradução do capítulo **A Copa do Mundo de 2014**: Janine Mogendorff
Projeto gráfico da edição original em formato 14 x 21 cm: Eduardo Galeano
Capa: Tholön Kunst. *Imagem*: cerâmica de Zé Caboclo, Pernambuco
Revisão final: L&PM Editores

ISBN 978-85-254-1436-6

G151f   Galeano, Eduardo, 1940-2015
           Futebol ao sol e à sombra / Eduardo Galeano; tradução de Eric Nepomuceno e Maria do Carmo Brito. Porto Alegre: L&PM, 2024.
           256p. : il.; 18 cm. (Coleção L&PM POCKET, v. 383)

           1.Ficção uruguaia. I.Título. II. Série

                CDD U863
                CDU 860 (899)-3

Catalogação elaborada por Izabel A. Merlo, CRB 10/329.

© Eduardo Galeano, 1995, 2004

Todos os direitos desta edição reservados a L&PM Editores
Rua Comendador Coruja 314, loja 9 – Floresta – 90.220-180
Porto Alegre – RS – Brasil / Fone: 51.3225.5777
PEDIDOS & DEPTO. COMERCIAL: vendas@lpm.com.br
FALE CONOSCO: info@lpm.com.br
www.lpm.com.br

Impresso no Brasil
Primavera de 2024

As páginas deste livro são dedicadas àqueles
meninos que uma vez, há anos, cruzaram comigo
em Calella da Costa. Acabavam de jogar uma pelada,
e cantavam:

> *Ganamos, perdimos,*
> *igual nos divertimos.*

Este livro deve muito ao entusiasmo e à paciência de Pepe Barrientos, Manolo Epelbaum, Ezequiel Fernández-Moores, Karl Hübener, Franklin Morales, Ángel Ruocco e Klaus Schuster, que leram os rascunhos, corrigiram disparates e contribuíram com ideias e dados valiosos.

Foram também de grande ajuda o olho crítico de minha mulher, Helena Villagra, e a memória futebolística de meu pai, Bebe Hughes. Meu filho Claudio e alguns amigos, ou amigos de meus amigos, ajudaram conseguindo livros e jornais ou respondendo a consultas: Hugo Alfaro, Zé Fernando Balbi, Chico Buarque, Nicolás Buenaventura Vidal, Manuel Cabieses, Jorge Consuegra, Pierre Charasse, Julián García-Candau, José González Ortega, Pancho Graells, Jens Lohmann, Daniel López D'Alesandro, Sixto Martínez, Juan Manuel Martín Medem, Gianni Minà, Dámaso Murúa, Felipe Nepomuceno, Migue Nieto-Solís, Luis Niño, Luis Ocampos Alonso, Carlos Ossa, Norberto Pérez, Silvia Peyrou, Miguel Ángel Ramírez, Alastair Read, Affonso Romano de Sant'Anna, Rosa Salgado, Giuseppe Smorto e Jorge Valdano. Osvaldo Soriano participou como escritor convidado.

Eu deveria dizer que todos eles são inocentes do resultado, mas a verdade é que creio que têm bastante culpa, por terem se metido nesta parada.

Confissão do autor

Como todos os meninos uruguaios, eu também quis ser jogador de futebol. Jogava muito bem, era uma maravilha, mas só de noite, enquanto dormia: de dia era o pior perna de pau que já passou pelos campos do meu país.

Como torcedor, também deixava muito a desejar. Juan Alberto Schiaffino e Julio César Abbadie jogavam no Peñarol, o time inimigo. Como bom torcedor do Nacional, eu fazia o possível para odiá-los. Mas Pepe Schiaffino, com suas jogadas magistrais, armava o jogo do seu time como se estivesse lá na torre mais alta do estádio, vendo o campo inteiro, e Pardo Abbadie deslizava a bola sobre a linha branca da lateral e corria com botas de sete léguas, gingando, sem tocar na bola nem nos rivais: eu não tinha saída a não ser admirá-los. Chegava até a sentir vontade de aplaudi-los.

Os anos se passaram, e com o tempo acabei assumindo minha identidade: não passo de um mendigo do bom futebol. Ando pelo mundo de chapéu na mão, e nos estádios suplico:

– Uma linda jogada, pelo amor de Deus!

E quando acontece o bom futebol, agradeço o milagre – sem me importar com o clube ou o país que o oferece.

O futebol

A história do futebol é uma triste viagem do prazer ao dever. Ao mesmo tempo em que o esporte se tornou indústria, foi desterrando a beleza que nasce da alegria de jogar só pelo prazer de jogar. Neste mundo do fim de século, o futebol profissional condena o que é inútil, e é inútil o que não é rentável. Ninguém ganha nada com essa loucura que faz com que o homem seja menino por um momento, jogando como o menino que brinca com o balão de gás e como o gato que brinca com o novelo de lã: bailarino que dança com uma bola leve como o balão que sobe ao ar e o novelo que roda, jogando sem saber que joga, sem motivo, sem relógio e sem juiz.

O jogo se transformou em espetáculo, com poucos protagonistas e muitos espectadores, futebol para olhar, e o espetáculo se transformou num dos negócios mais lucrativos do mundo, que não é organizado para ser jogado, mas para impedir que se jogue. A tecnocracia do esporte profissional foi impondo um futebol de pura velocidade e muita força, que renuncia à alegria, atrofia a fantasia e proíbe a ousadia.

Por sorte ainda aparece nos campos, embora muito de vez em quando, algum atrevido que sai do roteiro e comete o disparate de driblar o time adversário inteirinho, além do juiz e do público das arquibancadas, pelo puro prazer do corpo que se lança na proibida aventura da liberdade.

O jogador

Corre, ofegando, pela lateral. De um lado o esperam os céus da glória; do outro, os abismos da ruína.

O bairro tem inveja dele: o jogador profissional salvou-se da fábrica ou do escritório, tem quem pague para que ele se divirta, ganhou na loteria. Embora tenha que suar como um regador, sem direito a se cansar nem a se enganar, aparece nos jornais e na televisão, as rádios falam seu nome, as mulheres suspiram por ele e os meninos querem imitá-lo. Mas ele, que tinha começado jogando pelo prazer de jogar, nas ruas de terra dos subúrbios, agora joga nos estádios pelo dever de trabalhar e tem a obrigação de ganhar ou ganhar.

Os empresários podem comprá-lo, vendê-lo, emprestá-lo; e ele se deixa levar pela promessa de mais fama e mais dinheiro. Quanto mais sucesso faz, e mais dinheiro ganha, mais está preso. Submetido a uma disciplina militar, sofre todo dia o castigo dos treinamentos ferozes e se submete aos bombardeios de analgésicos e às infiltrações de cortisona que esquecem a dor e enganam a saúde. Na véspera das partidas importantes, fica preso num campo de concentração onde faz trabalhos forçados, come comidas sem graça, se embebeda com água e dorme sozinho.

Nas outras profissões humanas, o ocaso chega com a velhice, mas o jogador de futebol pode ser velho aos trinta anos. Os músculos se cansam cedo:

– *Esse cara não faz um gol nem ladeira abaixo.*

– *Esse aí? Nem se amarrarem as mãos do goleiro.*

Ou antes dos trinta, se uma bolada fizer que desmaie de mau jeito, ou o azar lhe estourar um músculo, ou um pontapé lhe quebrar um desses ossos que não têm conserto. E um belo dia o jogador descobre que jogou a vida numa só cartada e que o dinheiro evaporou-se, e a fama também. A fama, senhora fugaz, não costuma deixar nem uma cartinha de consolo.

O goleiro

Também chamado de porteiro, guarda-metas, arqueiro, guardião, golquíper ou guarda-valas, mas poderia muito bem ser chamado de mártir, vítima, saco de pancadas, eterno penitente ou favorito das bofetadas. Dizem que onde ele pisa, nunca mais cresce a grama.

É um só. Está condenado a olhar a partida de longe. Sem se mover da meta aguarda sozinho, entre as três traves, o fuzilamento. Antigamente usava uniforme preto, como o árbitro. Agora o árbitro já não está disfarçado de urubu e o arqueiro consola sua solidão com fantasias coloridas.

Não faz gols. Está ali para impedir que façam. O gol, festa do futebol: o goleador faz alegrias e o goleiro, o desmancha-prazeres, as desfaz.

Carrega nas costas o número um. Primeiro a receber? Primeiro a pagar. O goleiro sempre tem a culpa. E, se não tem, paga do mesmo jeito. Quando qualquer jogador comete um pênalti, quem acaba sendo castigado é ele: fica ali, abandonado na frente do carrasco, na imensidão da meta vazia. E quando o time tem um dia ruim, quem paga o pato é ele, debaixo de uma chuva de bolas chutadas, expiando os pecados alheios.

Os outros jogadores podem errar feio uma vez, muitas vezes, mas se redimem com um drible espetacular, um passe magistral, um tiro certeiro. Ele, não. A multidão não perdoa o goleiro. Saiu em falso? Catando borboleta? Deixou a bola escapar? Os dedos de aço se fizeram de seda? Com uma só falha, o goleiro arruína uma partida ou perde um campeonato, e então o público esquece subitamente todas as suas façanhas e o condena à desgraça eterna. Até o fim de seus dias, será perseguido pela maldição.

O ídolo

E um belo dia a deusa dos ventos beija o pé do homem, o maltratado, desprezado pé, e desse beijo nasce o ídolo do futebol. Nasce em berço de palha e barraco de lata e vem ao mundo abraçado a uma bola. Desde que aprende a andar, sabe jogar. Quando criança alegra os descampados e os baldios, joga e joga e joga nos ermos dos subúrbios até que a noite cai e ninguém mais consegue ver a bola, e quando jovem voa e faz voar nos estádios. Suas artes de malabarista convocam multidões, domingo após domingo, de vitória em vitória, de ovação em ovação.

A bola o procura, o reconhece, precisa dele. No peito de seu pé, ela descansa e se embala. Ele lhe dá brilho e a faz falar, e neste diálogo entre os dois, milhões de mudos conversam. Os Zé Ninguém, os condenados a serem para sempre ninguém, podem sentir-se alguém por um momento, por obra e graça desses passes devolvidos num toque, essas fintas que desenham zês na grama, esses golaços de calcanhar ou de bicicleta: quando ele joga, o time tem doze jogadores.

– *Doze? Tem quinze! Vinte!*

A bola ri, radiante, no ar. Ele a amortece, a adormece, diz galanteios, dança com ela, e vendo essas coisas nunca vistas, seus adoradores sentem piedade por seus netos ainda não nascidos, que não estão vendo o que acontece.

Mas o ídolo é ídolo apenas por um momento, humana eternidade, coisa de nada; e quando chega a hora do azar para o pé de ouro, a estrela conclui sua viagem do resplendor à escuridão. Esse corpo está com mais remendos que roupa de palhaço, o acrobata virou paralítico, o artista é uma besta:

– Com a ferradura, não!

A fonte da felicidade pública se transforma no pararaios do rancor público:

– *Múmia!*

Às vezes, o ídolo não cai inteiro. E às vezes, quando se quebra, a multidão o devora aos pedaços.

O torcedor

Uma vez por semana, o torcedor foge de casa e vai ao estádio.

Ondulam as bandeiras, soam as matracas, os foguetes, os tambores, chovem serpentinas e papel picado: a cidade desaparece, a rotina se esquece, só existe o templo. Neste espaço sagrado, a única religião que não tem ateus exibe suas divindades. Embora o torcedor possa contemplar o milagre, mais comodamente, na tela de sua televisão, prefere cumprir a peregrinação até o lugar onde possa ver em carne e osso seus anjos lutando em duelo contra os demônios da rodada.

Aqui o torcedor agita o lenço, engole saliva, engole veneno, come o boné, sussurra preces e maldições, e de repente arrebenta a garganta numa ovação e salta feito pulga abraçando o desconhecido que grita gol ao seu lado. Enquanto dura a missa pagã, o torcedor é muitos. Compartilha com milhares de devotos a certeza de que somos os melhores, todos os juízes estão vendidos, todos os rivais são trapaceiros.

É raro o torcedor que diz: "Meu time joga hoje". Sempre diz: "Nós jogamos hoje". Este *jogador número doze* sabe muito bem que é ele quem sopra os ventos de fervor que empurram a bola quando ela dorme, do mesmo jeito que os outros onze jogadores sabem que jogar sem torcida é como dançar sem música.

Quando termina a partida, o torcedor, que não saiu da arquibancada, celebra *sua* vitória, *que goleada fizemos, que surra a gente deu neles,* ou chora *sua* derrota, *nos roubaram outra vez, juiz ladrão.* E então o sol vai embora, e o torcedor se vai. Caem as sombras sobre o estádio que se esvazia. Nos degraus de cimento ardem, aqui e ali, algumas fogueiras de fogo fugaz, enquanto vão se apagando as luzes e as vozes. O estádio fica sozinho e o torcedor também volta à sua solidão, um eu que foi nós; o torcedor se afasta, se dispersa, se perde, e o domingo é melancólico feito uma quarta-feira de cinzas depois da morte do carnaval.

O fanático

O fanático é o torcedor no manicômio. A mania de negar a evidência acaba fazendo que a razão e tudo que se pareça com ela afundem, e navegam à deriva os restos do naufrágio nestas águas ferventes, sempre alvoroçadas pela fúria sem tréguas.

O fanático chega ao estádio embrulhado na bandeira do time, a cara pintada com as cores da camisa adorada, cravado de objetos estridentes e contundentes, e no caminho já vem fazendo muito barulho e armando muita confusão. Nunca vem sozinho. Metido numa turma da barra-pesada, centopeia perigosa, o humilhado se torna humilhante e o medroso mete medo. A onipotência do domingo exorciza a vida obediente do resto da semana, a cama sem desejo, o emprego sem vocação ou emprego nenhum: liberado por um dia, o fanático tem muito de que se vingar.

Em estado de epilepsia, olha a partida, mas não vê nada. Seu caso é com a arquibancada. Ali está seu campo de batalha. A simples existência da torcida do outro time constitui uma provocação inadmissível. O Bem não é violento, mas o Mal obriga. O inimigo, sempre culpado, merece que alguém torça o seu pescoço. O fanático não pode se distrair, porque o inimigo espreita por todos os lados. Também está dentro do espectador calado, que a qualquer momento pode chegar a dizer que o rival está jogando corretamente, e então levará o castigo merecido.

O gol

O gol é o orgasmo do futebol. E, como o orgasmo, o gol é cada vez menos frequente na vida moderna.

Há meio século, era raro que uma partida terminasse sem gols: 0 a 0, duas bocas abertas, dois bocejos. Agora, os onze jogadores passam toda a partida pendurados na trave, dedicados a evitar os gols e sem tempo para fazer nenhum.

O entusiasmo que se desencadeia cada vez que a bola sacode a rede pode parecer mistério ou loucura, mas é preciso levar em conta que o milagre é raro. O gol, mesmo que seja um golzinho, é sempre gooooooooooooooool na garganta dos locutores de rádio, um dó de peito capaz de deixar Caruso mudo para sempre, e a multidão delira e o estádio se esquece que é de cimento, se solta da terra e vai para o espaço.

O árbitro

O árbitro é arbitrário por definição. Este é o abominável tirano que exerce sua ditadura sem oposição possível e o verdugo afetado que exerce seu poder absoluto com gestos de ópera. Apito na boca, o árbitro sopra os ventos da fatalidade do destino e confirma ou anula os gols. Cartão na mão, levanta as cores da condenação: o amarelo, que castiga o pecador e o obriga ao arrependimento, ou o vermelho, que o manda para o exílio.

Os bandeirinhas, que ajudam, mas não mandam, olham de fora. Só o árbitro entra em campo; e com toda razão se benze ao entrar, assim que surge diante da multidão que ruge. Seu trabalho consiste em se fazer odiar. Única unanimidade do futebol: todos o odeiam. É vaiado sempre, jamais é aplaudido.

Ninguém corre mais do que ele. É o único obrigado a correr o tempo todo. Este intruso que ofega sem descanso entre os vinte e dois jogadores galopa como um cavalo, e a recompensa por tanto sacrifício é a multidão que exige sua cabeça. Do princípio ao fim de cada partida, suando em bicas, o árbitro é obrigado a seguir a bola branca que vai e vem entre os pés alheios. É evidente que adoraria brincar com ela, mas nunca essa graça lhe foi concedida. Quando a bola, por acidente, bate em seu corpo, todo o público lembra de sua mãe. E, no entanto, pelo simples fato de estar ali, no sagrado espaço verde onde a bola gira e voa, ele aguenta insultos, vaias, pedradas e maldições.

Às vezes, raras vezes, alguma decisão do árbitro coincide com a vontade do torcedor, mas nem assim consegue provar sua inocência. Os derrotados perdem por causa dele e os vitoriosos ganham apesar dele. Álibi de todos os erros, explicação para todas as desgraças, as torcidas teriam que inventá-lo se ele não existisse. Quanto mais o odeiam, mais precisam dele.

Durante mais de um século, o árbitro vestiu-se de luto. Por quem? Por ele. Agora, disfarça com cores.

O técnico

Antigamente, existia o treinador, e ninguém dava muita atenção a ele. O treinador morreu, de boca fechada, quando o jogo deixou de ser jogo e o futebol profissional precisou de uma tecnocracia da ordem. Então nasceu o técnico, com a missão de evitar a improvisação, controlar a liberdade e elevar ao máximo o rendimento dos jogadores, obrigados a transformar-se em atletas disciplinados.

O treinador dizia:

– *Vamos jogar*.

O técnico diz:

– *Vamos trabalhar.*

Agora se fala em números. A viagem da ousadia ao medo, história do futebol no século XX, é um trânsito do 2-3-5 para o 5-4-1, passando pelo 4-3-3 e o 4-4-2.

Qualquer leigo é capaz de traduzir isso, com um pouco de ajuda, mas depois, não há quem possa. A partir dali, o técnico desenvolve fórmulas misteriosas como a sagrada concepção de Jesus, e com elas elabora esquemas táticos mais indecifráveis que a Santíssima Trindade.

Do velho quadro-negro às telas eletrônicas: agora as jogadas magistrais são desenhadas em computadores e ensinadas em vídeos. Essas perfeições raras vezes são vistas, depois, nas partidas que a televisão transmite. A televisão se deleita exibindo o rosto crispado do técnico, e o mostra roendo as unhas ou gritando orientações que mudariam o curso da partida se alguém pudesse entendê-las.

Os jornalistas o sufocam de perguntas nas entrevistas, quando o jogo termina. O técnico jamais conta o segredo de suas vitórias, embora formule explicações admiráveis para suas derrotas:

— *As instruções eram claras, mas não foram seguidas* — diz, quando a equipe perde de goleada para um timinho qualquer. Ou ratifica a confiança em si mesmo, falando na terceira pessoa mais ou menos assim: "Os revezes sofridos não empanam a conquista de uma clareza conceitual que o técnico caracterizou como uma síntese dos muitos sacrifícios necessários para chegar à eficácia".

A engrenagem do espetáculo tritura tudo, tudo dura pouco e o técnico é tão descartável como qualquer outro produto da sociedade de consumo. Hoje o público grita para ele:

— *Não morra nunca!*

E, no domingo que vem, quer matá-lo.

Ele acredita que o futebol é uma ciência e o campo um laboratório, mas os dirigentes e a torcida não apenas exigem a genialidade de Einstein e a sutileza de Freud, mas também a capacidade milagrosa de Nossa Senhora de Lourdes e a paciência de Gandhi.

O teatro

Os jogadores atuam, com as pernas, numa representação destinada a um público de milhares ou milhões de fervorosos que assistem, das arquibancadas ou de suas casas, com o coração nas mãos. Quem escreve a peça? O técnico? A obra zomba do autor. Seu desenrolar segue o rumo do humor e da habilidade dos atores e, no final, depende da sorte, que sopra, como o vento, para onde quiser. Por isso, o desenlace é sempre um mistério, para os espectadores e também para os protagonistas, salvo nos casos de suborno ou de alguma outra fatalidade do destino.

Quantos teatros existem no grande teatro do futebol? Quantos cenários cabem no retângulo de grama verde? Nem todos os jogadores atuam somente com as pernas.

Há atores magistrais na arte de atormentar o próximo: o jogador põe uma máscara de santo incapaz de matar uma mosca e então cospe, insulta, empurra, joga terra nos olhos do adversário, dá-lhe uma cotovelada certeira no queixo, afunda o cotovelo em suas costelas, puxa seu cabelo ou a camiseta, pisa em um pé parado ou em uma mão quando está caído, e faz tudo isso quando o juiz está de costas ou quando o bandeirinha olha as nuvens que passam.

Há atores memoráveis na arte de levar vantagem: o jogador coloca a máscara do pobre infeliz que parece imbecil mas é idiota e então cobra a falta, tiro direto ou lateral, várias léguas além do ponto indicado pelo árbitro. Quando tem que formar barreira, desliza do lugar marcado, bem devagarinho, sem levantar os pés, até que o tapete mágico o deposita em cima do jogador que vai chutar a bola.

Há atores insuperáveis na arte de ganhar tempo: o jogador coloca a máscara do mártir que acaba de ser crucificado, e então rola em agonia, agarrando o joelho ou a cabeça, e fica estendido na grama. Passam os minutos. Em ritmo de tartaruga chega o massagista, o mão-santa, gordo suado, cheirando a linimento, com a toalha no pescoço, o cantil numa mão e na outra alguma poção infalível. E passam as horas e os anos, até que o juiz manda tirar aquele cadáver do campo. E então, subitamente, o jogador dá um pulo, e ocorre o milagre da ressurreição.

Os especialistas

Antes da partida, os comentaristas e os cronistas formulam suas perguntas desconcertantes:
– *Dispostos a ganhar?*

E obtêm respostas assombrosas:
– *Faremos todo o possível para obter a vitória.*
Depois, os locutores tomam a palavra. Os da televisão acompanham as imagens, mas sabem muito bem que não podem competir com elas. Os do rádio, ao contrário, não são recomendados para cardíacos: esses mestres do suspense correm mais que os jogadores e mais que a própria bola, e em ritmo de vertigem narram uma partida que pode não ter muita relação com o que se está olhando. Nessa catarata de palavras, passa roçando o travessão o disparo que se vê roçando o mais alto céu, e corre iminente perigo de gol a meta onde uma aranha tece sua teia, de trave a trave, enquanto o goleiro boceja.

Quando conclui a vibrante jornada no colosso de cimento, chega a vez dos comentaristas. Antes os comentaristas interromperam várias vezes a transmissão da partida, para indicar aos jogadores o que deviam fazer, mas eles não puderam escutá-los porque estavam ocupados em errar. Estes ideólogos da WM contra a MW, que é a mesma coisa mas ao contrário, usam uma linguagem onde a erudição científica oscila entre a propaganda bélica e o êxtase lírico. E falam sempre no plural, porque são muitos.

A linguagem dos doutores do futebol

Vamos sintetizar nosso ponto de vista, formulando uma primeira aproximação da problemática tática, técnica e física do cotejo que foi disputado esta tarde no campo do Unidos Venceremos Futebol Clube, sem cair em simplificações incompatíveis com um tema que sem dúvida está exigindo análises mais profundas e detalhadas e sem incorrer em ambiguidades que foram, são e serão alheias à nossa pregação de toda uma vida a serviço do amor ao esporte.

Seria cômodo para nós ignorar nossa responsabilidade, atribuindo o revés da esquadra local à discreta performance de seus jogadores, mas a excessiva lentidão que indubitavelmente mostraram na jornada de hoje, na hora de devolver cada esférico recepcionado, não justifica de nenhuma maneira, entenda-se bem, senhoras e senhores, *de nenhuma maneira*, semelhante desqualificação generalizada e, portanto, injusta. Não, não e não. O conformismo não faz parte do nosso estilo, como bem sabem os que nos seguiram ao longo de nossa trajetória de tantos anos, aqui em nosso querido país e nos cenários do desporto internacional e inclusive mundial, onde fomos convocados a cumprir nossa modesta função. Portanto vamos dizê-lo com todas as letras, como é nosso costume: o êxito não coroou a potencialidade orgânica do esquema de jogo desta esforçada equipe, porque ela pura e simplesmente continua sendo incapaz de canalizar adequadamente suas expectativas de uma maior projeção ofensiva até o âmbito da meta rival.

Já o dizíamos no domingo próximo passado e assim o afirmamos hoje, com a cabeça erguida e sem papas na língua, porque sempre chamamos pão de pão, e queijo de queijo, e continuaremos denunciando a verdade, doa a quem doer, caia quem caia e custe o que custar.

A guerra dançada

No futebol, sublimação ritual da guerra, onze homens de calção acabam sendo a espada vingadora do bairro, da cidade ou da nação. Estes guerreiros sem armas nem couraças exorcizam os demônios da multidão e confirmam sua fé: em cada confronto entre duas equipes, entram em combate velhos ódios e amores herdados de pai para filho.

O estádio tem torres e estandartes, como um castelo, e um fosso fundo e largo ao redor do campo. No meio, uma raia branca assinala os territórios em disputa. Em cada extremo, aguardam os arcos, que serão bombardeados por boladas. Em frente aos arcos, a área se chama *zona de perigo*.

No círculo central, os capitães trocam flâmulas e se cumprimentam como manda o ritual. Soa o apito do árbitro e a bola, outro vento assobiador, põe-se em movimento. A bola vai e vem e um jogador leva essa bola e passeia com ela até que alguém lhe dá uma trombada e ele cai escarranchado. A vítima não se levanta. Na imensidão da grama verde, jaz o jogador. E na imensidão das arquibancadas, as vozes trovejam. A torcida inimiga ruge amavelmente:

– *Morre!*
– *Que se muera!*
– *Devi morire!*
– *Tuez-le!*
– *Mach ihn nieder!*
– *Let him die!*
– *Kill kill kill!*

A linguagem da guerra

Mediante uma hábil variante tática da estratégia prevista, nossa esquadra se lançou à carga surpreendendo o rival desprevenido. Foi um ataque demolidor. Quando as hostes locais invadiram o território inimigo, nosso aríete abriu uma brecha no flanco mais vulnerável da muralha defensiva e se infiltrou até a zona de perigo. O artilheiro recebeu o projétil, com uma manobra hábil colocou-se em posição de tiro, preparou o arremate e culminou a ofensiva disparando o canhonaço que aniquilou o guardião. Então o guardião vencido, custódio do bastião que parecia inexpugnável, caiu de joelhos com a cara entre as mãos, enquanto o verdugo que o havia fuzilado levantava os braços perante a multidão que o ovacionava.

O inimigo não bateu em retirada, mas seus ataques não conseguiam semear o pânico nas trincheiras locais e se despedaçavam uma e outra vez contra nossa bem encouraçada retaguarda. Seus homens disparavam com pólvora molhada, reduzidos à impotência pela galhardia de nossos gladiadores, que se batiam como leões. E então, desesperados ante a rendição inevitável, os rivais lançaram mão do arsenal da violência, ensanguentando o campo de jogo como se se tratasse de um campo de batalha. Quando dois dos nossos ficaram fora de combate, o público exigiu em vão o castigo máximo, mas impunemente continuaram as atrocidades próprias de um confronto bélico e indignas das regras cavalheirescas do nobre esporte do futebol.

Finalmente, quando o árbitro surdo e cego deu por concluída a contenda, uma merecida vaia despediu a esquadra vencida. E então o povo vitorioso invadiu o reduto e carregou nos braços os onze heróis desta épica vitória, esta façanha, esta epopeia que tanto sangue, suor e lágrimas nos custaram. E nosso capitão, envolto na bandeira pátria que nunca mais será maculada pela derrota, levantou o troféu e beijou a grande taça de prata. Era o beijo da glória!

O estádio

Você já entrou, alguma vez, num estádio vazio? Experimente. Pare no meio do campo, e escute. Não há nada menos vazio que um estádio vazio. Não há nada menos mudo que as arquibancadas sem ninguém.

Em Wembley ainda soa a gritaria do Mundial de 66, que a Inglaterra ganhou, mas aguçando o ouvido você pode escutar gemidos que vêm de 53, quando os húngaros golearam a seleção inglesa. O Estádio Centenario, de Montevidéu, suspira de nostalgia pelas glórias do futebol uruguaio. O Maracanã continua chorando a derrota brasileira no Mundial de 50. Na Bombonera de Buenos Aires, trepidam tambores de há meio século. Das profundezas do estádio Azteca, ressoam os ecos dos cânticos cerimoniais do antigo jogo mexicano de *pelota*. Fala em catalão o cimento do Camp Nou, em Barcelona, e em euskera conversam as arquibancadas do San Mamés, em Bilbao. Em Milão, o fantasma de Giuseppe Meazza mete gols que fazem vibrar o estádio que leva seu nome. A final do Mundial de 74, ganho pela Alemanha, continua sendo jogada, dia após dia e noite após noite, no estádio Olímpico de Munique. O estádio do rei Fahd, na Arábia Saudita, tem palco de mármore e ouro e tribunas atapetadas, mas não tem memória nem grande coisa que dizer.

A bola

Era de couro, cheia de estopa, a bola dos chineses. Os egípcios do tempo dos faraós fizeram bolas de palha ou de casca de cereais, e envolveram-na em tecidos coloridos. Os gregos e os romanos usavam uma bexiga de boi, inflada e costurada. Os europeus da Idade Média e do Renascimento jogavam com uma bola oval, cheia de crina. Na América, feita de borracha, a bola pode ser saltitante como em nenhum outro lugar. Contam os cronistas da corte espanhola que Hernán Cortés pôs-se a brincar com uma bola mexicana, fez com que ela voasse a grande altura, diante dos olhos esbugalhados do imperador Carlos.

A câmara de borracha, inflada através de uma bomba e coberta de couro, nasceu em meados do século XIX, graças ao engenho de Charles Goodyear, um norte-americano de Connecticut. E graças à habilidade de Tossolini, Valbonesi e Polo, três argentinos de Córdoba, nasceu muito depois a bola sem nó. Eles inventaram a câmara com válvula, inflada por injeção, e desde o Mundial de 38 foi possível cabecear sem machucar-se com o nó que antes amarrava a bola.

Até meados do século passado, a bola foi marrom. Depois, branca. Em nossos dias, tem diferentes modelos, em preto sobre fundo branco. Agora tem uma circunferência de setenta centímetros e é revestida de poliuretano sobre espuma de polietileno. É impermeável, pesa menos de meio quilo e viaja mais rápido que a velha bola de couro, que ficava impossível nos dias chuvosos.

É chamada por muitos nomes: esfera, redonda, couro, globo, balão, projétil. No Brasil, ninguém duvida de que ela é mulher. Os brasileiros chamam a bola de *gorduchinha, menina,* e dão a ela nomes como Maricota, Leonor ou Margarida.

Pelé beijou-a no Maracanã, quando fez seu gol de número mil, e Di Stefano construiu para ela um monumento na entrada de sua casa, uma bola de bronze com uma placa que diz: *Gracias, vieja.*

Ela é fiel. Na final do Mundial de 30, as duas seleções exigiram jogar com bola própria. Sábio como Salomão, o juiz decidiu que o primeiro tempo fosse disputado com bola argentina e o segundo tempo com bola uruguaia. A Argentina ganhou o primeiro tempo, e o Uruguai, o segundo. Mas a bola também tem suas veleidades, e às vezes não entra no gol porque no ar muda de opinião, e se desvia. É que ela é muito suscetível. Não suporta que a tratem a patadas, nem que batam nela por vingança. Exige que a acariciem, que a beijem, que a embalem no peito ou no pé. É orgulhosa, talvez vaidosa, e não lhe faltam motivos: ela sabe muito bem que dá alegria a muitas almas quando se eleva com graça, e que são muitas as almas que se estragam quando ela cai de mau jeito.

As origens

No futebol, como em quase tudo, os primeiros foram os chineses. Há cinco mil anos, os malabaristas chineses faziam dançar a bola com os pés, e foi na China que tempos depois se organizaram os primeiros jogos.

A meta ficava no centro e os jogadores evitavam, sem usar as mãos, que a bola tocasse no chão. De dinastia em dinastia continuou o costume, como se vê em alguns relevos de monumentos anteriores a Cristo, e também em algumas gravuras posteriores, que mostram os chineses da dinastia Ming jogando com uma bola que parece da Adidas.

Sabe-se que em tempos antigos os egípcios e os japoneses se divertiam chutando a bola. No mármore

Gravura chinesa da dinastia Ming. É do século XV, mas a bola parece da Adidas.

de uma tumba grega de cinco séculos antes de Cristo, aparece um homem fazendo embaixadas com a bola no joelho. Nas comédias de Antífanes, há expressões reveladoras: *bola longa, passe curto, bola adiantada...* Dizem que o imperador Júlio César era bastante bom com as duas pernas, e que Nero não acertava uma: em todo caso, não há dúvida de que os romanos jogavam algo bastante parecido com o futebol enquanto Jesus e seus apóstolos morriam crucificados.

Pelos pés dos legionários romanos a novidade chegou às ilhas britânicas. Séculos depois, em 1314, o rei Eduardo II estampou seu selo numa cédula real que condenava este jogo plebeu e alvoroçador, "estas escaramuças ao redor de bolas de grande tamanho, de que resultam muitos males que Deus não permita". O futebol, que já se chamava assim, deixava uma fileira de vítimas. Jogava-se em grandes grupos, e não havia limite de jogadores, nem de tempo, nem de nada. Um povoado inteiro chutava a bola contra outro povoado, empurrando-a com pontapés e murros até a meta, que então era uma longínqua roda de moinho. As partidas se estendiam ao longo de várias léguas, durante vários dias, à custa de várias vidas. Os reis proibiam estes lances sangrentos: em 1349, Eduardo III incluiu o futebol entre os jogos "estúpidos e de nenhuma utilidade", e há éditos contra o futebol assinados por Henrique IV em 1410 e Henrique VI em 1547. Quanto mais o proibiam, mais se jogava, o que não fazia mais que confirmar o poder estimulante das proibições.

Em 1592, em sua *Comédia dos erros*, Shakespeare recorreu ao futebol para formular a queixa de um personagem:

– *Rodo para vós de tal maneira... Tomais-me por uma bola de futebol? Vós me chutais para lá, e ele me chuta para cá. Se devo durar neste serviço, deveis forrar-me de couro.*

E uns anos depois, em *Rei Lear*, o conde de Kent insultava assim:

– *Tu, desprezível jogador de futebol!*

Em Florença, o futebol se chama *calcio*, como se chama ainda em toda a Itália. Leonardo da Vinci era torcedor fervoroso, e Maquiavel jogador praticante. Participavam equipes de 27 homens, distribuídos em três linhas, que podiam usar mãos e pés para golpear a bola e para estripar adversários. Uma multidão assistia às partidas, que se celebravam nas praças mais amplas e sobre as águas congeladas do rio Arno. Longe de

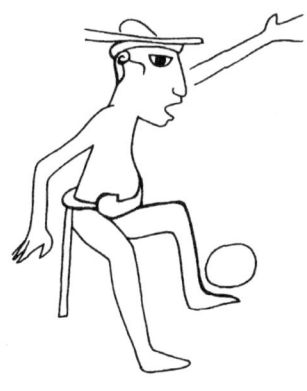

Duas imagens da história do futebol. O primeiro desenho reproduz um fragmento de um mural pintado há mais de mil anos em Tepantitla, Teotihuacán, México: um antepassado de Hugo Sánchez chutando de canhota. O segundo é uma estilização de um relevo medieval da catedral britânica de Gloucester.

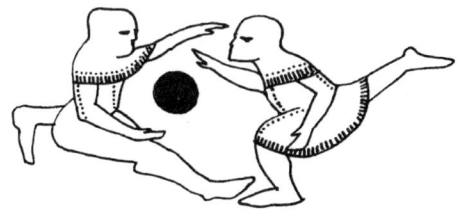

Florença, nos jardins do Vaticano, os papas Clemente VII, Leão IX e Urbano VIII costumavam arregaçar as batinas para jogar o *calcio*.

No México e na América Central, a bola de borracha era o sol de uma cerimônia sagrada desde uns mil e quinhentos anos antes de Cristo; mas não se sabe desde quando se joga o futebol em muitos lugares da América. Segundo os índios da selva amazônica da Bolívia, tem origens remotas a tradição que os leva a correr atrás de uma bola de borracha maciça, para metê-la entre dois paus sem fazer uso das mãos. No século XVIII, um sacerdote espanhol das missões jesuítas do Alto Paraná, descreveu assim um costume antigo dos guaranis: "Não lançam a bola com a mão, como nós, mas com a parte superior do pé descalço". Entre os índios do México e da América Central, a bola era golpeada geralmente com o quadril ou com o antebraço, embora as pinturas de Teotihuacán e de Chichén-Itzá revelem que em certos jogos se chutava a bola com o pé e com o joelho. Um mural de mais de mil anos mostra um avô de Hugo Sánchez jogando como canhoto em Tepantitla. Quando o jogo terminava, a bola culminava sua viagem: o sol chegava ao amanhecer depois de atravessar a região da morte. Então, para que o sol surgisse, corria o sangue. Segundo alguns entendidos, os astecas tinham o costume de sacrificar os vencedores. Antes de cortar-lhes a cabeça, pintavam seus corpos em faixas vermelhas. Os eleitos dos deuses davam seu sangue em oferenda, para que a terra fosse fértil e o céu generoso.

As regras do jogo

Ao fim de tantos séculos de rejeição oficial, as ilhas britânicas acabaram aceitando que havia uma bola em seu destino. Nos tempos da rainha Vitória, o futebol já era unânime não só como vício plebeu, mas também como virtude aristocrática.

Os futuros chefes da sociedade aprendiam a vencer jogando o futebol nos pátios dos colégios e das universidades. Ali, os rebentos da classe alta desafogavam seus ardores juvenis, aprimoravam sua disciplina, temperavam sua coragem e afiavam sua astúcia. No outro extremo da escala social, os proletários não precisavam extenuar o corpo, porque para isso havia as fábricas e as oficinas, mas a pátria do capitalismo industrial havia descoberto que o futebol, paixão de massas, dava diversão e consolo aos pobres e os distraía de greves e outros maus pensamentos.

Na sua forma moderna, o futebol provém de um acordo de cavalheiros que doze clubes ingleses selaram no outono de 1863, numa taverna de Londres. Os clubes assumiram as regras estabelecidas em 1846 pela Universidade de Cambridge. Em Cambridge, o futebol se havia divorciado do rugby: era proibido conduzir a bola com as mãos, embora fosse permitido tocá-la e era proibido chutar os adversários. "Os pontapés só devem ser dirigidos para a bola", advertia uma das regras: um século e meio depois, ainda há jogadores que confundem a bola com o crânio do rival, por sua forma parecida.

O acordo de Londres não limitava o número de jogadores, nem a extensão do campo, nem a altura do arco, nem a duração das partidas. As partidas duravam duas ou três horas, e seus protagonistas conversavam e fumavam quando a bola voava para longe. Já existia, isso sim, o impedimento. Era desleal fazer gols nas costas do adversário.

Naqueles tempos, ninguém ocupava um lugar determinado no campo: todo mundo corria alegremente atrás da bola, cada qual ia para onde bem entendesse, e mudava de posição à vontade. Foi na Escócia que as equipes se organizaram com funções de defesa, meio de campo e ataque, lá pelo ano de 1870. Naquela época, as equipes já tinham onze jogadores. Ninguém podia tocar a bola com as mãos, desde 1869, nem mesmo para detê-la e colocá-la nos pés. Mas em 1871 nasceu o arqueiro, única exceção desse tabu, que podia defender a meta com o corpo inteiro.

O arqueiro protegia um reduto quadrado: a meta, mais estreita que a atual e muito mais alta, consistia de dois paus unidos por uma fita a cinco metros e meio de altura. A faixa foi substituída por um travessão de madeira em 1875. Nas traves se marcavam os gols, com pequenos entalhes. A expressão *marcar um gol* é usada até hoje, embora agora os gols já não sejam mais talhados nas traves, e sim registrados nos placares eletrônicos dos estádios. A meta, feita em ângulos retos, não tem forma arqueada, mas ainda a chamamos de *arco* em alguns países, e chamamos de *arqueiro* quem a defende, talvez porque os estudantes dos colégios ingleses tenham usado como metas as arcadas dos pátios.

Em 1872, apareceu o árbitro. Até então, os jogadores eram seus próprios juízes, e eles mesmos sancionavam as faltas que cometiam. Em 1880, cronômetro na mão, o árbitro decidia quando terminava a partida e tinha o poder de expulsar quem se portasse mal, mas ainda dirigia de fora e aos gritos. Em 1891, o árbitro entrou em campo pela primeira vez, usando um apito; marcou o primeiro pênalti da história e caminhando doze passos assinalou o lugar da cobrança. Fazia muito tempo que a imprensa britânica vinha fazendo campanha a favor do pênalti. Era preciso proteger os jogadores na boca do gol, que era cenário de chacinas. *A Gazeta de Westminster* havia publicado uma impressionante lista de jogadores mortos e de ossos quebrados.

Em 1882, os dirigentes ingleses autorizaram a cobrança de lateral com as mãos. Em 1890, as áreas do campo foram marcadas com cal, e traçou-se um círculo no centro. Naquele ano, o arco ganhou rede. Segurando a bola, a rede evitava dúvidas nos gols.

Depois morreu o século, e com ele terminou o monopólio britânico. Em 1904 nasceu a FIFA, *Federação Internacional de Futebol Associado*, que desde então governa as relações entre a bola e o pé no mundo inteiro. Ao longo dos campeonatos mundiais, a FIFA introduziu poucas mudanças naquelas regras britânicas que organizaram o jogo.

As invasões inglesas

Ao lado do manicômio, num terreno baldio de Buenos Aires, uns moços louros estavam chutando uma bola.

– *Quem são?* – perguntou um menino.
– *Loucos* – informou-lhe o pai. – *Ingleses malucos.*

O jornalista Juan José de Soiza Reilly evocou esta memória de sua infância. Nos primeiros tempos, o futebol parecia *um jogo de loucos* no rio da Prata. Mas em plena expansão imperial, o futebol era um produto de exportação tão tipicamente britânico como os tecidos de Manchester, as estradas de ferro, os empréstimos do banco Barings ou a doutrina do livre comércio. Tinha chegado pelos pés dos marinheiros, que o jogavam nos arredores dos diques de Buenos Aires e Montevidéu, enquanto os navios de Sua Majestade descarregavam ponchos, botas e farinha e embarcavam lã, couros e trigo para fabricar, lá longe, mais ponchos, botas e farinha. Foram cidadãos ingleses, diplomatas e funcionários da estrada de ferro e da companhia de gás, que formaram as primeiras equipes locais. A primeira partida internacional jogada no Uruguai, em 1889, confrontou os ingleses de Montevidéu e Buenos Aires sob um gigantesco retrato da rainha Vitória, pálpebras caídas, careta de desdém, e outro retrato da rainha dos mares amparou em 1895 a primeira partida do futebol brasileiro, que foi disputada entre os súditos britânicos da Gás Company e da São Paulo Railway.

As velhas fotos mostram aqueles pioneiros em sépia. Eram guerreiros formados para a batalha. As armaduras de algodão e lã cobriam todo o seu corpo, para não ofender as damas que assistiam às partidas empunhando sombrinhas de seda e agitando lenços de renda. Os jogadores só mostravam descobertos seus rostos de olhar grave e bigodões em ponta, que assomavam sob os gorros ou chapéus. Nos pés, calçavam pesadas chuteiras Manfield.

O contágio não se fez esperar. Mais cedo que tarde, os cavalheiros da sociedade local puseram-se a praticar aquela loucura inglesa. Importaram de Londres as camisetas, as chuteiras, as grossas caneleiras e as calças, que iam do peito até abaixo dos joelhos. As bolas de futebol já não chamavam a atenção da alfândega, que a princípio não sabia como classificar tais espécimes. Os navios também traziam os manuais, e com eles as palavras que chegavam a estas longínquas costas sul-americanas para ficar aqui por muitos anos: *field, score, goal, goal-keeper, back, forward, out-ball, penalty, off-side.* O *foul* merecia o castigo do *referee*, mas o jogador ofendido podia aceitar as desculpas do culpado *sempre e quando suas desculpas fossem sinceras e estivessem formuladas em inglês correto*, segundo ensinava o primeiro decálogo de futebol que circulou no rio da Prata.

Enquanto isso, outras palavras da língua inglesa se incorporaram à linguagem dos países latino-americanos do mar do Caribe: *pitcher, catcher, innings.* Submetidos à influência norte-americana, esses países aprendiam a golpear a bola com um bastão de madeira arredondado. Os *marines* traziam o bastão no ombro, junto com o fuzil, enquanto impunham, a sangue e fogo, a ordem imperial na região. Desde então, o beisebol é, para eles, o que o futebol é para nós.

O futebol nativo

A *Argentine Football Association* não permitia que se falasse em espanhol nas reuniões de seus dirigentes, e a *Uruguay Association Football League* proibia que as partidas fossem disputadas aos domingos, porque o costume inglês mandava jogar aos sábados. Mas já nos primeiros anos do século o futebol estava começando a se popularizar e a se nacionalizar, nas margens do rio da Prata. Esta diversão importada, que entretinha os ócios dos meninos das boas famílias, tinha escapado de sua alta jardineira, havia baixado à terra e estava lançando raízes.

Foi um processo irreversível. Como o tango, o futebol cresceu a partir dos subúrbios. Era um esporte que não exigia dinheiro e que podia ser jogado sem nada além da pura vontade. Nos baldios, nos becos e nas praias, os rapazes nativos e os jovens imigrantes improvisavam partidas com bolas feitas de meias velhas, recheadas de trapos ou de papel, e um par de pedras para simular o arco. Graças à linguagem do futebol, que começava a tornar-se universal, os trabalhadores expulsos do campo se entendiam muito bem com os trabalhadores expulsos da Europa. O esperanto da bola unia os nativos pobres com os peões que tinham atravessado o mar vindos de Vigo, Lisboa, Nápoles, Beirute ou da Bessarábia, e que sonhavam fazer a América levantando paredes, carregando caixotes, assando pão ou varrendo ruas. Linda viagem, a que havia feito o futebol: tinha sido organizado nos colégios e universidades inglesas, e na América do Sul alegrava a vida de gente que nunca tinha pisado numa escola.

Nas canchas de Buenos Aires e de Montevidéu, nascia um estilo. Uma maneira própria de jogar o futebol ia abrindo caminho, enquanto uma maneira própria de dançar se afirmava nos pátios milongueiros. Os bailarinos desenhavam filigranas, fazendo floreios num tijolo só, e os futebolistas inventavam sua linguagem no minúsculo espaço onde a bola não era chutada, mas retida e possuída, como se os pés fossem mãos trançando o couro. E nos pés dos primeiros virtuoses nativos nasceu *o toque*: a bola *tocada* como se fosse violão, fonte de música.

Simultaneamente, o futebol se tropicalizava no Rio de Janeiro e em São Paulo. Eram os pobres que o enriqueciam, enquanto o expropriavam. Este esporte estrangeiro se fazia brasileiro, na medida em que deixava de ser o privilégio de uns poucos jovens acomodados, que o jogavam copiando, e era fecundado pela energia criadora do povo que o descobria. E assim nascia o futebol mais bonito do mundo, feito de jogo de cintura, ondulações de corpo e voos de pernas que vinham da capoeira, dança guerreira dos escravos negros, e dos bailes alegres dos arredores das grandes cidades.

O futebol ia se tornando paixão popular e revelava sua beleza secreta, e ao mesmo tempo se desqualificava como passatempo fino. Em 1915, a democratização do futebol arrancava queixas à revista *Sports*, do Rio de Janeiro: "De modo que nós que frequentamos uma Academia, temos uma posição na sociedade, fazemos a barba no Salão Naval, jantamos na Rotisserie, frequentamos as conferências literárias, vamos ao *five o'clock* ... somos obrigados a jogar com um operário, limador, torneiro mecânico, motorista e profissões outras que absolutamente não estão em relação com o meio onde vivemos. Nesse caso a prática do esporte torna-se um suplício, um sacrifício, mas nunca uma diversão".

História de Fla e Flu

Em 1912, foi disputado o primeiro clássico da história do futebol brasileiro, o primeiro Fla-Flu. O Fluminense venceu o Flamengo por 3 a 2.

Foi uma partida movimentada e violenta, que provocou numerosos desmaios entre o público. O palco transbordava de flores, frutas, plumas, damas e cavalheiros. Enquanto os cavalheiros comemoravam cada gol jogando seus chapéus de palha no campo, as damas deixavam cair seus leques e desmaiavam, por causa da emoção do gol ou das agonias do calor e do espartilho.

O Flamengo tinha nascido pouco antes para a vida futebolística. Brotara de uma fratura do clube Fluminense, que se dividiu em dois depois de muitas confusões e muitos ruídos de guerra e gritarias de parto. Depois o pai se arrependeu por não ter afogado no berço este filho respondão e gozador, mas já não podia fazer mais nada: o Fluminense havia gerado sua própria maldição, e a desgraça não tinha mais remédio.

Desde então, pai e filho, filho rebelde, pai abandonado, dedicam-se a se odiar. Cada clássico Fla-Flu é uma nova batalha desta guerra de nunca acabar. Os dois amam a mesma cidade, o Rio de Janeiro, preguiçosa, pecadora, que languidamente se deixa querer e se diverte oferecendo-se aos dois sem se dar a nenhum. Pai e filho jogam para a amante que joga com eles. Por ela se batem, e ela vai aos duelos vestida de festa.

O ópio dos povos?

Em que o futebol se parece com Deus? Na devoção que desperta em muitos crentes e na desconfiança que desperta em muitos intelectuais.

Em 1880, em Londres, Rudyard Kipling desdenhou o futebol e as "almas pequenas que podem ser saciadas pelos enlameados idiotas que jogam". Um século depois, em Buenos Aires, Jorge Luis Borges foi mais sutil: proferiu uma conferência sobre o tema da imortalidade no mesmo dia, e na mesma hora, em que a seleção argentina estava disputando sua primeira partida na Copa de 78.

O desprezo de muitos intelectuais conservadores se baseia na certeza de que a idolatria da bola é a superstição que o povo merece. Possuída pelo futebol, a plebe pensa com os pés, como corresponde, e nesse gozo subalterno se realiza. O instinto animal se impõe à razão humana, a ignorância esmaga a Cultura, e assim a ralé tem o que quer.

Por outro lado, muitos intelectuais de esquerda desqualificam o futebol porque castra as massas e desvia sua energia revolucionária. Pão e circo, circo sem pão: hipnotizados pela bola, que exerce uma perversa fascinação, os operários atrofiam sua consciência e se deixam levar como um rebanho por seus inimigos de classe.

Quando o futebol deixou de ser coisa de ingleses e de ricos, no rio da Prata nasceram os primeiros clubes populares, organizados nas oficinas das estradas de ferro e nos estaleiros dos portos. Naquela época, alguns dirigentes anarquistas e socialistas denunciaram esta maquinação da burguesia destinada a evitar as greves e mascarar as contradições sociais. A difusão do futebol no mundo era o resultado de uma manobra imperialista para manter os povos reduzidos à idade infantil – para sempre.

No entanto, o time Argentinos Juniors nasceu chamando-se Clube Mártires de Chicago, em homenagem aos operários anarquistas enforcados num primeiro de maio, e foi um primeiro de maio o dia escolhido para fundar o clube Chacarita, batizado numa biblioteca anarquista de Buenos Aires. Naqueles primeiros anos do século, não faltaram intelectuais de esquerda que celebraram o futebol, em vez de repudiá-lo como anestesia da consciência. Entre eles, o marxista italiano Antonio Gramsci, que elogiou "este reino da lealdade humana exercida ao ar livre".

A bola como bandeira

No verão de 1916, em plena guerra mundial, um capitão inglês se lançou ao ataque chutando uma bola. O capitão Nevill saltou do parapeito que o protegia, e correndo atrás da bola encabeçou o assalto contra as trincheiras alemãs. Seu regimento, que vacilava, acabou indo atrás. O capitão foi morto por um tiro de canhão, mas a Inglaterra conquistou aquela terra de ninguém e pôde celebrar a batalha como a primeira vitória do futebol inglês na frente de guerra.

Muitos anos depois, já nos finais do século, o dono do Milan ganhou as eleições italianas com um lema, *Forza Italia!*, que vinha das arquibancadas dos estádios. Silvio Berlusconi prometeu que salvaria a Itália como havia salvo o Milan, a superequipe campeã de tudo, e os eleitores esqueceram que algumas de suas empresas estavam à beira da ruína.

O futebol e a pátria estão sempre unidos; e com frequência os políticos e os ditadores especulam com esses vínculos de identidade. A esquadra italiana ganhou os mundiais de 34 e 38 em nome da pátria e de Mussolini, e seus jogadores começavam e terminavam cada partida dando vivas à Itália e saudando o público com a palma da mão estendida.

Também para os nazistas, o futebol era uma questão de Estado. Um monumento lembra, na Ucrânia, os jogadores do Dínamo de Kiev de 1942. Em plena ocupação alemã, eles cometeram a loucura de derrotar uma seleção de Hitler no estádio local. Tinham sido avisados:

– *Se ganharem, morrem.*

Entraram resignados a perder, tremendo de medo e de fome, mas não puderam aguentar a vontade de ser dignos. Os onze foram fuzilados vestidos com as camisas, no alto de um barranco, quando terminou a partida.

Futebol e pátria, futebol e povo: em 1934, enquanto a Bolívia e o Paraguai se aniquilavam mutuamente na guerra do Chaco, disputando um deserto pedaço de mapa, a Cruz Vermelha paraguaia organizou uma equipe de futebol, que jogou em várias cidades da Argentina e Uruguai, e juntou dinheiro suficiente para atender os feridos de ambos os lados no campo de batalha.

Três anos depois, durante a guerra da Espanha, duas equipes peregrinas foram símbolos da resistência democrática. Enquanto o general Franco, aliado a Hitler e Mussolini, bombardeava a república espanhola, uma seleção basca percorria a Europa e o Barcelona disputava partidas nos Estados Unidos e no México. O governo basco enviou a equipe Euskadi à França e a outros países, com a missão de fazer propaganda e coletar fundos para a defesa. Simultaneamente, o Barcelona embarcou para a América. Era o ano de 1937, e o presidente do Barcelona já havia tombado sob as balas franquistas.

As duas equipes encarnaram, nos campos de futebol e também fora deles, a democracia acossada.

Só quatro jogadores catalães voltaram à Espanha durante a guerra. Dos bascos, apenas um. Quando a República foi vencida, a FIFA declarou rebeldes os jogadores exilados, e os ameaçou com a cassação definitiva, mas alguns conseguiram incorporar-se ao futebol latino-americano. Com vários bascos formou-se, no México, o clube Espanha, que foi imbatível em seus primeiros tempos. O centroavante da equipe Euskadi, Isidro Lángara, debutou no futebol argentino em 1939. Em sua primeira partida, fez quatro gols. Foi pelo San Lorenzo, onde também brilhou Ángel Zubieta, que havia jogado no meio de campo do Euskadi. Depois, no México, Lángara encabeçou a lista de artilheiros de 1945 no campeonato local.

O time modelo da Espanha de Franco, o Real Madrid, reinou no mundo entre 1956 e 1960. Esta equipe deslumbrante ganhou quatro campeonatos da Liga espanhola, cinco Copas da Europa e uma intercontinental. O Real Madrid andava por toda parte e sempre deixava todo mundo de boca aberta. A ditadura de Franco tinha encontrado uma insuperável embaixada ambulante. Os gols que a rádio transmitia eram toques de clarim triunfais mais eficazes que o hino *Cara ao sol*. Em 1959, um dos chefes do regime, José Solís, pronunciou um discurso de gratidão diante dos jogadores, "porque gente que antes nos odiava, agora nos compreende graças a vocês". Como o Cid Campeador, o Real Madrid reunia as virtudes da Raça, embora se parecesse mais com a Legião Estrangeira. Nele brilhavam um francês, Kopa, dois argentinos, Di Stéfano e Rial, o uruguaio Santamaría e o húngaro Puskas.

Ferenc Puskas era chamado de *Canhãozinho*, pelas virtudes demolidoras de sua perna esquerda, que também sabia ser uma luva. Outros húngaros, Ladislao Kubala, Zolkan Czibor e Sandor Kocsis, brilharam no Barcelona daqueles anos. Em 1954 foi colocada a primeira pedra do Camp Nou, o grande estádio que nasceu de Kubala: o público que ia vê-lo jogar, passes milimétricos, arremates mortíferos, não cabia no estádio anterior. Czibor, enquanto isso, tirava chispas das chuteiras. O outro húngaro do Barcelona, Kocsis, era um grande cabeceador. Era chamado de *Cabeça de Ouro,* e um mar de lenços comemorava seus gols. Dizem que Kocsis foi a melhor cabeça da Europa, depois de Churchill.

Em 1950, Kubala havia integrado um time húngaro no exílio, o que lhe valeu uma suspensão de dois anos, decretada pela FIFA. Depois, a FIFA puniu com mais de um ano de suspensão Puskas, Czibor, Kocsis e outros húngaros que tinham jogado em outro time do exílio a partir do final de 1956, quando a invasão soviética esmagou a insurreição popular.

Em 1958, em plena guerra da independência, a Argélia formou uma seleção de futebol que pela primeira vez vestiu as cores pátrias. Integravam seu plantel Makhloufi, Ben Tifour e outros argelinos que jogavam profissionalmente no futebol francês.

Bloqueada pela potência colonial, a Argélia só conseguiu jogar com o Marrocos, país que por tal pecado foi desfiliado da FIFA durante alguns anos, e além disso disputou umas poucas partidas sem transcendência, organizadas pelos sindicatos esportivos de certos países árabes e do leste da Europa. A FIFA fechou todas as portas à seleção argelina e o futebol francês castigou esses jogadores decretando sua morte civil. Presos por contrato, nunca mais poderiam voltar à atividade profissional.

Mas depois que a Argélia conquistou a independência, o futebol francês não teve outro remédio senão tornar a chamar de volta os jogadores que suas arquibancadas convocavam.

Os negros

Em 1916, no primeiro campeonato sul-americano, o Uruguai goleou o Chile por 4 a 0. No dia seguinte, a delegação chilena exigiu a anulação da partida, "porque o Uruguai escalou dois africanos". Eram os jogadores Isabelino Gradín e Juan Delgado. Gradín havia feito dois dos quatro gols.

Bisneto de escravos, Gradín tinha nascido em Montevidéu. As pessoas se levantavam quando ele se lançava numa velocidade espantosa, dominando a pelota como quem caminha, e sem se deter evitava os adversários e arrematava na corrida. Tinha cara de santo e quando fazia cara de mau, ninguém acreditava.

Juan Delgado, também bisneto de escravos, havia nascido em Florida, no interior do Uruguai. Delgado brilhava dançando nos carnavais e fazendo a bola dançar nos gramados. Enquanto jogava, conversava, e gozava os adversários.

– *Larga esse cacho* – dizia, levantando a bola. E lançando-a dizia:

– *Sai fora, que lá vai areia.*

O Uruguai era, naquela época, o único país do mundo que tinha jogadores negros na seleção nacional.

Zamora

Começou na primeira divisão aos dezesseis anos, quando ainda vestia calças curtas. Para entrar no campo do Espanhol, em Barcelona, vestiu um *jersey* inglês de colarinho alto, luvas e um gorro duro como um capacete, para protegê-lo do sol e das patadas. Era o ano de 1917 e as cargas eram de cavalaria. Ricardo Zamora tinha escolhido um ofício de alto risco. O único que corria mais perigo que o goleiro era o árbitro, naquela época chamado *o Nazareno*, que estava exposto às vinganças do público em campos que não tinham fosso nem alambrado. Em cada gol a partida era interrompida longamente, porque as pessoas entravam em campo para abraçar ou bater.

Com a mesma roupa daquela primeira vez, ficou famosa, ao longo do tempo, a estampa de Zamora. Ele era o pânico dos atacantes. Se olhavam para ele, estavam perdidos: com Zamora no gol, o arco encolhia e as traves se afastavam até perder-se de vista.

Era chamado de *Divino*. Durante vinte anos, foi o melhor goleiro do mundo. Gostava de conhaque e fumava três maços de cigarros por dia, além de um ou outro charuto.

Samitier

Aos dezesseis anos, como Zamora, Josep Samitier debutou na primeira divisão. Em 1918, assinou contrato com o Barcelona em troca de um relógio luminoso, que era coisa nunca vista, e um terno com colete.

Pouco tempo depois, já era o ás da equipe e sua biografia era vendida nas bancas de jornal da cidade.

Seu nome era cantado pelas cantoras de cabaré, citado nas comédias da moda e admirado nas crônicas esportivas, que elogiavam *o estilo mediterrâneo* fundado pelo futebol de Zamora e Samitier.

Samitier, atacante de arremate fulminante, sobressaía-se por sua astúcia, seu domínio de bola, seu nenhum respeito pelas regras da lógica e seu desprezo olímpico pelas fronteiras do espaço e do tempo.

Morte no campo

Abdón Porte defendeu a camisa do Nacional do Uruguai durante mais de duzentas partidas, ao longo de quatro anos, sempre aplaudido, às vezes ovacionado, até que sua boa estrela apagou-se.

Então foi tirado da equipe titular. Esperou, pediu para voltar, voltou. Mas não tinha jeito, a má fase continuava, as pessoas o vaiavam: na defesa, até as tartarugas conseguiam fugir dele; no ataque, não faturava uma.

No final do verão de 1918, no estádio do Nacional, Abdón Porte se matou. À meia-noite, com um tiro, no centro do campo onde tinha sido querido. Todas as luzes estavam apagadas. Ninguém escutou o tiro.

Foi encontrado ao amanhecer. Numa mão tinha o revólver e na outra, uma carta.

Friedenreich

Em 1919, o Brasil venceu o Uruguai por 1 a 0 e se sagrou campeão sul-americano. O povo se lançou às ruas do Rio de Janeiro. Presidia os festejos, levantada como um estandarte, uma barrenta chuteira, com um cartazinho que proclamava: *O glorioso pé de Friedenreich.*

No dia seguinte, aquela chuteira que tinha feito o gol da vitória foi parar na vitrina de uma joalheria, no centro da cidade.

Artur Friedenreich, filho de um alemão e de uma lavadeira negra, jogou na primeira divisão durante 26 anos, e nunca recebeu um centavo. Ninguém fez mais gols que ele na história do futebol. Fez mais gols que o outro grande artilheiro, Pelé, também brasileiro, que foi o maior goleador do futebol profissional. Friedenreich somou 1.329 gols. Pelé, 1.279.

Este mulato de olhos verdes fundou o modo brasileiro de jogar. Rompeu com os manuais ingleses: ele, ou o diabo que se metia pela planta de seu pé. Friedenreich levou ao solene estádio dos brancos a irreverência dos rapazes cor de café que se divertiam disputando uma bola de trapos nos subúrbios. Assim nasceu um estilo, aberto a fantasia, que prefere o prazer ao resultado. De Friedenreich em diante, o futebol brasileiro que é brasileiro de verdade não tem ângulos retos, do mesmo jeito que as montanhas do Rio de Janeiro e os edifícios de Oscar Niemeyer.

Da mutilação à plenitude

Em 1921, a Copa América ia ser disputada em Buenos Aires. O presidente do Brasil, Epitácio Pessoa, baixou um decreto de brancura: ordenou que não se enviasse nenhum jogador de pele morena, por razões de prestígio pátrio. Das três partidas que jogou, a seleção branca perdeu duas.

Nesse campeonato sul-americano Friedenreich não jogou. Naquela época, era impossível ser negro no futebol brasileiro, e ser mulato era difícil: Friedenreich

Ilustrações de um manual de futebol publicado em Barcelona no princípio do século XX.

entrava em campo sempre tarde, porque no vestiário demorava meia hora esticando o cabelo, e o único jogador mulato do Fluminense, Carlos Alberto, branqueava a cara com pó de arroz.

Depois, apesar dos donos do poder e não por causa deles, as coisas foram mudando. Bem mais tarde, com o passar do tempo, aquele futebol mutilado pelo racismo pôde se revelar em toda a plenitude de suas diversas cores. Após tantos anos é fácil comprovar que foram negros ou mulatos os melhores jogadores da história do Brasil, de Friedenreich a Romário, passando por Domingos da Guia, Leônidas, Zizinho, Garrincha, Didi e Pelé. Todos vinham da pobreza, e alguns voltaram a ela. Por outro lado, nunca houve nenhum negro ou mulato entre os campeões brasileiros de automobilismo. Como o tênis, o esporte das pistas exige dinheiro.

Na pirâmide social do mundo, os negros estão embaixo e os brancos em cima. No Brasil chamam isso de *democracia racial*, mas a verdade é que o futebol oferece um dos poucos espaços mais ou menos democráticos onde as pessoas de pele escura podem competir em pé de igualdade. Podem, mas até certo ponto – porque também no futebol uns são mais iguais que os outros. Embora tenham os mesmos direitos, nunca competem nas mesmas condições o jogador que vem da fome e o atleta bem-alimentado. Mas pelo menos no futebol há alguma possibilidade de ascensão social para o menino pobre, em geral negro ou mulato, que só tem a bola como brinquedo: a bola é a única varinha mágica em que pode acreditar. Talvez ela lhe dê de comer, talvez ela o transforme num herói, talvez em deus.

A miséria o torna apto para o futebol ou para o delito. Desde que nasce, esse menino é obrigado a transformar em arma sua desvantagem física, e rapidamente aprende a driblar as normas da ordem que lhe nega um lugar. Aprende a descobrir como despistar cada pista, e torna-se sábio na arte de dissimular, surpreender, abrir caminho onde menos se espera e tirar o inimigo de cima com um requebro de cintura ou qualquer outra melodia da música malandra.

O segundo descobrimento da América

Para Pedro Arispe, a pátria não significava nada. A pátria era o lugar onde ele tinha nascido, e dava na mesma, porque ninguém o tinha consultado, e era o lugar onde ele se arrebentava trabalhando como peão para um frigorífico, e também dava na mesma ter um ou outro patrão em qualquer outra geografia. Mas quando o futebol uruguaio ganhou a Olimpíada de 1924 na França, Arispe era um dos jogadores triunfantes; e enquanto olhava a bandeira nacional que se levantava lentamente no mastro de honra, com o sol em cima e as quatro barras celestes, no centro de todas as bandeiras e mais alta que todas, Arispe sentiu que seu peito estufava.

Quatro anos depois, o Uruguai ganhou a Olimpíada da Holanda. E um dirigente uruguaio, Atilio Narancio, que em 24 tinha hipotecado sua casa para pagar as passagens dos jogadores, comentou:

– Agora já não somos mais aquele pequeno ponto no mapa do mundo.

A camisa celeste era a prova da existência da nação, o Uruguai não era um erro: o futebol havia arrancado aquele minúsculo país das sombras do anonimato universal.

Os autores daqueles milagres de 1924 e 1928 eram operários e boêmios que só recebiam do futebol a pura felicidade de jogar. Pedro Arispe era operário de frigorífico. José Nasazzi cortava pedras de mármore. Perucho Petrone era verdureiro. Pedro Cea, entregador de gelo. Jose Leandro Andrade, compositor de carnaval e engraxate. Todos tinham vinte anos, ou pouco mais, embora nas fotos pareçam tão senhores, e curavam as pancadas recebidas com água e sal, panos molhados com vinagre e alguns copos de vinho.

Em 1924, chegaram à Europa com passagens de terceira classe e lá viajaram de favor em vagões de segunda, dormindo em assentos de madeira e obrigados a disputar uma partida depois da outra em troca de teto e comida. A caminho da Olimpíada de Paris, disputaram nove partidas na Espanha e ganharam as nove.

Era a primeira vez que uma equipe latino-americana jogava na Europa. O Uruguai enfrentava a Iugoslávia na partida inicial. Os iugoslavos mandaram espiões ao treino. Os uruguaios perceberam, e treinaram dando chutes no chão, jogando a bola para as nuvens, tropeçando a cada passe e chocando-se entre si. Os espiões informaram:

– Dão pena esses pobres rapazes, que vieram de tão longe...

Apenas duas mil pessoas assistiram àquela primeira partida. A bandeira uruguaia foi içada ao contrário, com o sol para baixo, e em lugar do hino nacional escutou-se uma marcha brasileira. Naquela tarde, o Uruguai derrotou a Iugoslávia por 7 a 0.

E então aconteceu algo como a segunda descoberta da América. Uma partida após a outra, a multidão se aglomerava para ver aqueles homens escorregadios como esquilos, que jogavam o xadrez com a bola. A escola inglesa tinha imposto o passe longo e a bola alta, mas esses filhos desconhecidos, gerados na remota América, não repetiam o pai. Preferiam inventar um futebol de bola curtinha e no pé, com relampejantes mudanças de ritmo e fintas na corrida. Henri de Montherlant, escritor aristocrático, publicou seu entusiasmo: "Uma revelação! Eis aqui o verdadeiro futebol. O que nós conhecíamos, o que nós jogávamos, não era, comparado com isto, mais que um passatempo de escolares".

Aquele futebol uruguaio das Olimpíadas de 24 e de 28, que depois ganhou as Copas de 30 e 50, foi possível, em grande medida, graças a uma política oficial de apoio à educação física, que tinha aberto campos de esporte em todo o país. Passaram-se os anos, e daquele Estado com vocação social só ficou a saudade. Daquele futebol, também. Alguns jogadores, como o melodioso Enzo Francescoli, souberam herdar e renovar as velhas artes, mas em geral o futebol uruguaio está longe de ser o que era. São cada vez menos os meninos que jogam futebol, e cada vez menos os homens que jogam com graça. No entanto, não há nenhum uruguaio que não se considere doutor em táticas e estratégias do futebol e erudito na sua história. A paixão futebolística dos uruguaios vem daquele passado longínquo e suas raízes fundas ainda estão à vista: cada vez que a seleção nacional joga uma partida, seja com quem for, corta-se a respiração do país e calam a boca os políticos, os cantores e os charlatães de feira, os amantes interrompem seus amores e as moscas param o voo.

Andrade

A Europa nunca tinha visto um negro jogando futebol.

Na Olimpíada de 24, o uruguaio José Leandro Andrade deslumbrou com suas jogadas de luxo. No meio de campo, este homenzarrão de corpo de borracha carregava a bola sem tocar o adversário, e quando se lançava ao ataque, contorcendo o corpo esparramava um mundo de gente. Numa das partidas, atravessou meio campo com a bola dominada na cabeça. O público o aclamava, a imprensa francesa chamava-o de *A Maravilha Negra*.

Quando o torneio terminou, Andrade ficou um tempo ancorado em Paris. Ali foi boêmio errante e rei de cabaré. As botas de verniz substituíram as alpargatas que tinha trazido de Montevidéu e um chapéu com aba ocupou o lugar do gorro velho. As crônicas da época saudavam a estampa daquele monarca das noites de Pigalle: o passo elástico e dançarino, o esgar gozador, os olhos entrecerrados que sempre olhavam de longe, e uma pinta de matar: lenço de seda, paletó listado, luvas amarelo-claras e bengala com empunhadura de prata.

Andrade morreu em Montevidéu, muitos anos depois. Os amigos tinham programado muitas festas em seu benefício, mas nenhuma chegou a ser realizada. Morreu tuberculoso, na mais completa miséria.

Foi negro, sul-americano e pobre, o primeiro ídolo internacional do futebol.

As *moñas*

As fintas dos jogadores uruguaios, que desenhavam sucessivos *oitos* no campo, eram chamadas de *moñas* – laços de fita. Os jornalistas franceses quiseram conhecer o segredo daquelas bruxarias que petrificavam os adversários. José Leandro Andrade, usando intérprete, revelou a fórmula: os jogadores treinavam correndo atrás de galinhas, que fugiam fazendo esses. Os jornalistas acreditaram e publicaram.

Trinta anos depois, as boas fintas eram ainda aplaudidas como gols no futebol sul-americano. Minha memória de criança está cheia delas. Fecho os olhos e vejo, por exemplo, Walter Gómez, aquela vertigem abre-alas, que se metia no emaranhado das pernas inimigas e de finta em finta ia deixando uma esteira de caídos. Os torcedores confessavam:

A gente já não come,
só para ver Walter Gómez.

Gostava de *amassar* a bola; quando a tomavam dele, se ofendia. Nenhum técnico seria capaz de dizer a ele o que se diz hoje em dia:

– Se quiserem amassar, busquem emprego numa padaria.

A finta não era só uma travessura permitida: era uma alegria exigida.

Hoje em dia, estas ourivesarias estão proibidas, ou pelo menos vigiadas sob grave suspeita: agora, são consideradas exibicionismos egoístas, que traem o espírito de equipe e são perfeitamente inúteis diante dos férreos sistemas defensivos do futebol moderno.

O gol olímpico

Quando a seleção uruguaia voltou da Olimpíada de 1924, os argentinos lhe ofereceram uma partida de comemoração. A partida foi jogada em Buenos Aires. O Uruguai perdeu por um gol.

O ponta-esquerda Cesáreo Onzari foi o autor do gol da vitória. Lançou um tiro de córner e a bola entrou no arco sem que ninguém a tocasse. Era a primeira vez na história do futebol que se fazia um gol assim. Os uruguaios ficaram mudos. Quando conseguiram falar, protestaram. Segundo eles, o goleiro Mazali tinha sido empurrado enquanto a bola vinha no ar. O árbitro não deu confiança. E então resmungaram que Onzari não tinha tido a intenção de acertar a meta e que o gol tinha sido coisa do vento.

Por homenagem ou ironia, aquela raridade foi chamada de *gol olímpico*. E até hoje é chamado assim, nas poucas vezes em que acontece. Onzari passou o resto de sua vida jurando que não tinha sido casualidade. E embora tenham transcorrido muitos anos, a desconfiança continua: cada vez que um chute de escanteio sacode a rede sem intermediários, o público celebra o gol com uma ovação, mas não acredita nele.

Gol de Piendibene

Foi em 1926. O autor do gol, José Piendibene, não o festejou. Piendibene, homem de rara maestria e ainda mais rara modéstia, nunca festejava seus gols, para não ofender.

O time uruguaio Peñarol estava jogando em Montevidéu contra o Espanhol de Barcelona e não havia maneira de penetrar a meta defendida por Zamora. A jogada veio de trás. Anselmo evitou dois adversários, cruzou a bola para Suffiati e se lançou na corrida, esperando a devolução. Mas então Piendibene pediu-a, recebeu-a, enganou Urquizú e se aproximou do gol. Zamora viu que Piendibene ia arrematar no ângulo direito e se lançou em um salto. Acontece que a bola não tinha se movido, colada ao pé de Piendibene – que então a empurrou, suavemente, para a esquerda da meta vazia. Zamora conseguiu pular para trás, um pulo de gato, e conseguiu roçar a bola com a ponta dos dedos, quando já não havia mais nada a ser feito.

A chilena

Ramón Unzaga inventou a jogada, no campo do porto chileno de Talcahuano: com o corpo no ar, de costas para o chão, as pernas disparavam a bola para trás, num repentino vaivém de tesouradas.

Mas esta acrobacia só foi chamada de *chilena* alguns anos mais tarde, em 1927, quando o Colo-Colo viajou para a Europa e o atacante David Arellano exibiu-a nos estádios da Espanha. Os jornalistas espanhóis celebraram o esplendor da cambalhota desconhecida e batizaram-na assim porque tinha vindo do Chile, como os morangos e uma dança chamada *cuêca*.

Depois de vários gols voadores, Arellano morreu naquele ano, no estádio Valladolid, num choque fatal com um zagueiro.

Scarone

Quarenta anos antes dos brasileiros Pelé e Coutinho, os uruguaios Scarone e Cea transpunham as zagas adversárias com seus passes de primeira e em zigue-zague, que iam e vinham de um para o outro no caminho até a meta, tua e minha, curtinha e no pé, pergunta e resposta, resposta e pergunta: a bola era devolvida sem parar, como se tivesse batido numa. Já se chamava *a parede*, naqueles anos, essa maneira rio-platense de atacar.

Héctor Scarone servia passes como oferendas e fazia gols com uma pontaria que aperfeiçoava, nos treinos, derrubando garrafas a trinta metros. Embora baixinho, no jogo pelo alto superava todos. Scarone sabia flutuar no ar, violando a lei da gravidade: quando saltava em busca da bola, lá em cima se desprendia de seus adversários dando uma volta de pião que o deixava de frente para o arco, e então cabeceava para o gol.

Era chamado *o Mago*, porque tirava gols da cartola, e também o chamavam *Gardel do futebol*, porque jogando cantava como ninguém.

Gol de Scarone

Foi em 1928, no final da Olimpíada.

Uruguai e Argentina estavam empatados quando Píriz passou a bola a Tarasconi e avançou para a área.

Borjas recebeu-a de costas para o arco e cabeceou-a a Scarone, gritando *tua, Héctor*, e Scarone chutou-a no quicar e de voleio. O goleiro argentino, Bossio, atirou-se quando a bola já havia se chocado contra a rede. A bola bateu na rede e voltou, quicando, ao campo. O ponta uruguaio Figueroa voltou a metê-la, castigando-a com uma patada, porque sair daquele jeito era falta de educação.

As forças ocultas

Um jogador uruguaio, Adhemar Canavessi, se sacrificou para esconjurar o prejuízo de sua própria presença na final da Olimpíada de 28, em Amsterdã. O Uruguai ia disputar essa final contra a Argentina. Canavessi decidiu ficar no hotel e desceu do ônibus que levava os jogadores ao estádio. Todas as vezes em que ele tinha enfrentado os argentinos, a seleção uruguaia tinha perdido, e na última ocasião ele tinha tido o azar de fazer um gol contra. Na partida de Amsterdã, sem Canavessi, o Uruguai ganhou.

No dia anterior, Carlos Gardel tinha cantado para os jogadores argentinos no hotel onde se hospedavam. Para dar-lhes sorte, tinha estreado um tango chamado *Dandy*. Dois anos depois, repetiu-se a história: Gardel voltou a cantar *Dandy* desejando êxito à seleção argentina. Essa segunda vez foi na véspera da Copa de 30, que o Uruguai também ganhou. Muitos juram que a intenção estava acima de qualquer suspeita, mas muita gente também crê que temos aí a prova de que Gardel era uruguaio.

Gol de Nolo

Foi em 1929. A seleção argentina enfrentava o Paraguai. Nolo Ferreira trazia a bola de longe. Vinha abrindo caminho, juntando gente, até que de repente deu de cara com a defesa inteira, que formava um muro. Então Nolo parou. E ali, parado, começou a passar a bola de um pé para o outro, de um peito do pé para o outro, sem que ela tocasse no chão. E os adversários balançavam a cabeça da esquerda para a direita, da direita para a esquerda, todos ao mesmo tempo, hipnotizados, a vista cravada no pêndulo da bola. Aquele vaivém durou séculos, até que Nolo encontrou uma brecha e de repente disparou: a bola atravessou a muralha e sacudiu a rede.

Os agentes da polícia montada apeiam dos cavalos para felicitá-lo. No campo havia vinte mil pessoas, mas todos os argentinos juram que estiveram ali.

A Copa de 30

Um terremoto sacudia o sul da Itália enterrando mil e quinhentos napolitanos, Marlene Dietrich interpretava *O anjo azul*, Stálin culminava sua usurpação da revolução russa, o poeta Vladimir Maiacovski se suicidava. Os ingleses jogavam Mahatma Gandhi, que exigindo independência e querendo pátria tinha paralisado a Índia, na prisão, enquanto sob as mesmas bandeiras Augusto César Sandino levantava os camponeses da Nicarágua nas outras Índias, as nossas, e os *marines* norte-americanos tentavam vencê-lo pela fome incendiando as colheitas.

Nos Estados Unidos havia quem dançasse o recente *boogie-woogie*, mas a euforia dos loucos anos vinte havia sido nocauteada pelos ferozes golpes da crise de 29. A Bolsa de Nova York tinha caído a pique e em sua queda aviltou os preços internacionais e estava arrastando para o abismo vários governos latino-americanos. No despenhadeiro da crise mundial, a ruína do preço do estanho derrubava o presidente Hernando Siles, na Bolívia, e colocava em seu lugar um general, e a queda dos preços da carne e do trigo derrubava o presidente Hipólito Yrigoyen, na Argentina, e em seu lugar instalava outro general. Na República Dominicana, a queda do preço do açúcar abria o longo ciclo da ditadura do também general Rafael Leónidas Trujillo, que inaugurou seu poder batizando com seu nome a capital e o porto.

No Uruguai, o golpe de Estado ia estourar três anos depois. Em 1930, o país só tinha olhos e ouvidos para o primeiro Campeonato Mundial de Futebol. As vitórias uruguaias nas duas últimas olimpíadas, disputadas na Europa, tinham transformado o Uruguai no inevitável anfitrião do primeiro torneio.

Doze nações chegaram ao porto de Montevidéu. Toda a Europa estava convidada, mas só quatro seleções europeias atravessaram o oceano até estas praias do sul:

– *Isso está muito longe de tudo* – diziam na Europa – *e a passagem sai cara.*

Um navio trouxe da França o troféu Jules Rimet, acompanhado pelo próprio Dom Jules, presidente da FIFA, e pela seleção francesa de futebol, que veio contrariada.

O Uruguai estreou com bumbos e pratos um monumental cenário construído em oito meses. O estádio se chamou Centenario, para celebrar o aniversário da Constituição que um século antes tinha negado direitos civis às mulheres, aos analfabetos e aos pobres. Nas arquibancadas não cabia nem um alfinete quando Uruguai e Argentina disputaram a final do campeonato. O estádio era um mar de chapéus de palha. Também os fotógrafos usavam chapéus, e câmaras com tripés. Os goleiros usavam gorros e o juiz vestia um calção negro que lhe cobria os joelhos.

A final da Copa de 30 não mereceu mais que uma coluna de vinte linhas no jornal italiano *La Gazzetta dello Sport*. Afinal de contas, estava se repetindo a história das Olimpíadas de Amsterdã, em 1928: os dois países do rio da Prata ofendiam a Europa mostrando onde estava o melhor futebol do mundo. Como em 28, a Argentina ficou em segundo lugar. O Uruguai, que ia perdendo de 2 a 1 no primeiro tempo, acabou ganhando por 4 a 2 e sagrou-se campeão. Para apitar a final, o belga John Langenus tinha exigido um seguro de vida, mas não aconteceu nada mais grave que algumas escaramuças nas arquibancadas. Depois, um bando apedrejou um consulado uruguaio em Buenos Aires.

O terceiro lugar no campeonato foi para os Estados Unidos, que tinham em suas fileiras alguns jogadores escoceses recém-naturalizados e o quarto lugar ficou com a Iugoslávia.

Nem uma só partida terminou empatada. O argentino Stábile liderou a lista de artilheiros, com oito gols, seguido pelo uruguaio Cea, com cinco. O francês Louis Laurent fez o primeiro gol da história dos mundiais, jogando contra o México.

Nasazzi

Por ele, não passava nem raio X. Era chamado de *O Terrível*.

– O campo é um funil – dizia. *– E na boca do funil, está a área.*

Ali, na área, mandava ele.

José Nasazzi, capitão das seleções uruguaias de 24, 28 e 30, foi o primeiro caudilho do futebol uruguaio. Ele era o moinho de vento de toda a equipe, que funcionava no ritmo de seus gritos de alerta, bronca e estímulo. Nunca alguém escutou uma queixa dele.

Camus

Em 1930, Alberto Camus era o São Pedro que tomava conta da porta da equipe de futebol da Universidade de Argel. Tinha se acostumado a jogar como goleiro desde menino, porque essa era a posição onde o sapato gastava menos sola. Filho de família pobre, Camus não podia se dar ao luxo de correr pelo campo: toda noite, a avó revisava as solas e dava uma surra nele, se estivessem gastas.

Durante seus anos de goleiro, Camus aprendeu muitas coisas:

– Aprendi que a bola nunca vem para a gente por onde se espera que venha. Isso me ajudou muito na vida, principalmente nas grandes cidades, onde as pessoas não costumam ser aquilo que a gente acha que são as pessoas direitas.

Também aprendeu a ganhar sem se sentir Deus e a perder sem se sentir um lixo, sabedorias difíceis, e aprendeu alguns mistérios da alma humana, em cujos labirintos soube se meter depois, em viagem perigosa, ao longo de seus livros.

Os implacáveis

Um dos uruguaios campeões do mundo, *Perucho* Petrone, foi para a Itália. Estreou em 1931, no Fiorentina: nessa tarde, Petrone fez onze gols.

Na Itália, durou pouco. Foi o goleador do campeonato italiano, e o Fiorentina lhe ofereceu o que quisesse; mas Petrone se cansou muito depressa das fanfarras do fascismo em ascensão. O tédio e a saudade o devolveram a Montevidéu, onde continuou fazendo seus gols de terra arrasada durante um tempinho. Ainda não tinha feito trinta anos quando teve que deixar o futebol. A FIFA obrigou-o, porque não tinha cumprido seu contrato com o Fiorentina.

Dizem que Petrone era capaz de derrubar uma parede com uma bolada. Quem sabe? Está comprovado, isso sim, que desmaiava os arqueiros e perfurava as redes.

Enquanto isso, na outra margem do rio da Prata, o argentino Bernabé Ferreyra também disparava canhonaços com fúrias de possuído. Torcedores de todos os clubes vinham ver a *Fera*, que chutava de longe, atravessava as defesas e metia a bola com goleiro e tudo.

Antes e depois das partidas, e também no intervalo, os alto-falantes transmitiam um tango composto em homenagem à sua artilharia. Em 1932, o jornal *Crítica* ofereceu um prêmio de muito dinheiro ao goleiro que fosse capaz de impedir que Bernabé cravasse um gol nele. E numa tarde daquele ano, Bernabé teve que se descalçar perante os jornalistas, para mostrar que não tinha nenhuma barra de ferro na ponta das chuteiras.

O profissionalismo

Embora viva em crise, o futebol está, ainda, entre as dez indústrias mais importantes da Itália. Os recentes escândalos judiciais, *mãos limpas, pés limpos,* puseram em apuros os dirigentes dos times mais poderosos, mas o futebol italiano continua sendo um ímã para os jogadores sul-americanos.

Já era a meca nos longínquos tempos de Mussolini. Em nenhum lugar do mundo se pagava tanto. Os jogadores ameaçavam: "Vou para a Itália", e esse abracadabra abria os cordões da bolsa dos clubes. Alguns iam de verdade: os navios levavam jogadores de Buenos Aires, Montevidéu, São Paulo e Rio de Janeiro: se não tinham pais ou avós italianos, em Roma havia quem os fabricava no ato e sob medida, para documentar sua rápida naturalização.

O êxodo de jogadores foi uma das causas do nascimento do futebol profissional. Em 1931, profissionalizou-se o futebol argentino, e no ano seguinte o uruguaio. No Brasil, o regime profissional começou em 1934. Então foram legalizados os pagamentos que antes eram feitos por baixo do pano, e o jogador tornou-se um trabalhador. O contrato o prendia ao time em tempo integral e para toda a vida, e não podia mudar de lugar de trabalho a não ser que o seu time o vendesse. O jogador entregava sua energia em troca de um salário, como um operário industrial, e ficava prisioneiro como servo da gleba. No entanto, naqueles primeiros tempos, o futebol profissional exigia muito menos. Só havia duas horas semanais de treino obrigatório. Na Argentina, pagava uma multa de cinco pesos quem faltasse ao treino sem justificativa médica.

A Copa de 34

Johnny Weissmüller lançava seu primeiro grito de Tarzan, o primeiro desodorante industrial aparecia no mercado, a polícia de Louisiana crivava Bonny and Clyde de balas. A Bolívia e o Paraguai, os dois países mais pobres da América do Sul, se esvaíam em sangue, disputando o petróleo do Chaco em nome da Standard Oil e da Shell. Sandino, que havia vencido os *marines* na Nicarágua, caía varado de balas numa emboscada e Somoza, o assassino, iniciava sua dinastia. Mao desencadeava a longa marcha da revolução nos campos da China. Na Alemanha, Hitler se consagrava *führer* do Terceiro Reich e promulgava a lei em defesa da raça ariana, que obrigava a esterilizar os doentes hereditários e os criminosos, enquanto Mussolini inaugurava, na Itália, o segundo Campeonato Mundial de Futebol.

Os cartazes do campeonato mostravam um Hércules que fazia a saudação fascista com uma bola a seus pés. O Mundial de 34 em Roma foi, para *Il Duce*, uma grande operação de propaganda. Mussolini assistiu a todas as partidas da tribuna de honra, o queixo erguido para as arquibancadas repletas de camisas negras, e os onze jogadores da equipe italiana lhe dedicaram suas vitórias com a palma estendida.

Mas o caminho em direção ao título não foi fácil. A partida entre a Itália e a Espanha foi a mais massacrante da história dos mundiais: a batalha durou 210 minutos e terminou no dia seguinte, quando vários jogadores estavam fora de combate por feridas de guerra ou porque já não aguentavam mais. Ganhou a Itália, sem quatro de seus jogadores titulares. A Espanha terminou com sete titulares a menos. Entre os espanhóis contundidos, estavam os dois melhores: o atacante Lángara e o arqueiro Zámora, o que hipnotizava na área.

No estádio do Partido Nacional Fascista, a Itália disputou a final do campeonato contra a Tchecoslováquia. Ganhou na prorrogação, por 2 a 1. Dois jogadores argentinos, recém-naturalizados italianos, deram sua contribuição: Orsi fez o primeiro gol, driblando o arqueiro, e outro argentino, Guaita, deu o passe para o gol de Schiavio, que presenteou a Itália com sua primeira Copa do Mundo.

Em 34, participaram dezesseis países: doze europeus, três americanos e o Egito, solitário representante do resto do mundo. O campeão, Uruguai, se negou a viajar, porque a Itália não tinha vindo ao primeiro Mundial em Montevidéu.

Atrás da Itália e da Tchecoslováquia, a Alemanha e a Áustria ganharam o terceiro e quarto lugares. O jogador tchecoslovaco Nejedly foi o artilheiro, com cinco gols, seguido por Conen, da Alemanha, e Schiavio, da Itália, com quatro.

Deus e o Diabo no Rio de Janeiro

Certa noite de muita chuva, enquanto morria o ano de 1937, um torcedor inimigo enterrou um sapo no campo do Vasco da Gama e lançou sua maldição:

– *Que o Vasco não seja campeão por doze anos! Se existir um Deus no céu, que o Vasco não seja campeão!*

O nome deste torcedor de um time humilde, que o Vasco da Gama tinha goleado por 12 a 0, era Arubinha. Escondendo um sapo de boca costurada nas terras do vencedor, Arubinha estava castigando o abuso.

Durante anos, torcedores e dirigentes procuraram o sapo no campo e em seus arredores. Nunca o encontraram. Crivado de buracos, aquilo era uma paisagem lunar. O Vasco da Gama contratava os melhores jogadores do Brasil, organizava as equipes mais poderosas, mas continuava condenado a perder.

Finalmente, em 1945, o time ganhou o troféu do Rio e quebrou a maldição. Tinha sido campeão, pela última vez, em 1934. Onze anos de seca.

– *Deus nos fez um descontinho* – declarou o presidente.

Tempos depois, em 1953, quem estava com problemas era o Flamengo, o time mais popular do Rio de Janeiro e de todo o Brasil, o único que, jogue onde jogar, joga sempre como o time da casa. O Flamengo estava há nove anos sem ganhar o campeonato. A torcida, a mais numerosa e fervorosa do mundo, morria de fome. Então um sacerdote católico, o padre Goes, garantiu a vitória, em troca de que os jogadores assistissem sua missa antes de cada partida e rezassem o rosário de joelhos perante o altar.

Assim, o Flamengo conquistou o campeonato três anos seguidos. Os times rivais protestaram ao cardeal Jaime Câmara: o Flamengo estava usando armas proibidas. O padre Goes se defendeu alegando que não fazia mais que iluminar o caminho do Senhor, e continuou rezando junto com os jogadores seu rosário de contas vermelhas e pretas, que são as cores do Flamengo e de uma divindade africana que encarna ao mesmo tempo Jesus e Satanás. Mas no quarto ano, o Flamengo perdeu o campeonato. Os jogadores deixaram de ir à missa e nunca mais rezaram o rosário. O padre Goes pediu ajuda ao Papa, que nunca respondeu.

O padre Romualdo, em troca, obteve permissão do Papa para se tornar sócio do Fluminense. O padre assistia a todos os treinos. Os jogadores não gostavam nem um pouco. Fazia doze anos que o Fluminense não ganhava o campeonato do Rio e era de mau agouro aquele passarinhão de plumagem negra ali de pé, na beira do campo. Os jogadores o insultavam, ignorando que o padre Romualdo era surdo de nascença.

Um belo dia, o Fluminense começou a ganhar. Conquistou um campeonato, e outro, e outro. Os jogadores já não podiam treinar a não ser à sombra do padre Romualdo. Depois de cada gol, beijavam a sua batina. Nos finais de semana, o padre assistia às partidas da tribuna de honra e murmurava sabe-se lá o que contra o juiz e os adversários.

As fontes da desgraça

Todo mundo sabe que dá azar pisar num sapo, pisar a sombra de uma árvore, passar por debaixo de uma escada, sentar-se ao contrário, dormir em posição invertida, abrir guarda-chuva debaixo de teto, contar os dentes ou quebrar um espelho. Mas nos domínios do futebol, essa lista fica muito curta.

Carlos Bilardo, diretor técnico da seleção argentina nas Copas de 86 e de 90, não permitia que seus jogadores comessem carne de frango, que dava azar, e os obrigava a comer carne de boi, que dava ácido úrico.

Silvio Berlusconi, o dono do Milan, proibiu que a torcida cantasse o hino do time, o cântico tradicional *Milan, Milan,* porque transmitia ondas maléficas que paralisavam as pernas dos jogadores, e em 1987 mandou compor um hino novo, intitulado *Milan dei nostri cuori.*

Freddy Rincón, o gigante negro da seleção da Colômbia, frustrou seus numerosos admiradores na Copa de 94. Jogou sem nem um pouquinho de entusiasmo. Depois se soube que não tinha sido um problema de falta de vontade, mas de excesso de medo. Um profeta de Buenaventura, a terra de Rincón na costa colombiana, tinha cantado para ele os resultados do campeonato, que aconteceram exatamente como predisse, e anunciado que quebraria uma perna se não tivesse muito, muito cuidado. "Cuidado com a sardenta", disse o bruxo, referindo-se à bola, "e com a hepática, e com a sangrenta", referindo-se ao cartão amarelo e ao cartão vermelho dos árbitros.

Na véspera da final do Mundial de 94, os especialistas italianos em ciências ocultas garantiram que seu país ganharia a Copa. "Numerosos despachos de magia negra impedirão a vitória do Brasil", assegurou à imprensa a Associação Italiana de Magos. O resultado não contribuiu para o prestígio da instituição profissional.

Talismãs e esconjuros

Muitos jogadores entram em campo com o pé direito e fazendo o sinal da cruz. Também há os que vão direto ao arco vazio e fazem um gol, ou beijam as traves. Outros tocam a grama e levam a mão aos lábios.

Com frequência se vê que o jogador usa medalhinha no pescoço e, presa ao pulso, alguma fita de proteção mágica. Se bate um pênalti que sai meio torto, é porque alguém cuspiu na bola. Se desperdiça um gol feito, é porque algum bruxo fechou o arco inimigo. Se perde a partida, é porque deu a camisa da última vitória.

O arqueiro argentino Amadeo Carrizo estava há oito partidas com sua meta invicta, graças aos poderes de um gorro que usava ao sol e à sombra. Aquele gorro exorcizava os demônios do gol. Uma tarde, Ángel Clemente Rojas, jogador do Boca Juniors, roubou-lhe o gorro. Carrizo, despojado de seu talismã, correu atrás do ladrão por toda a quadra, recuperou o gorro, e o River não perdeu a partida.

Um protagonista do futebol espanhol, Pablo Hernández Coronado, contou que quando o Real Madrid ampliou seu campo, passou seis anos sem ganhar o campeonato, até que a maldição foi vencida por um torcedor que enterrou uma cabeça de alho no centro do gramado. O célebre atacante do Barcelona, Luis Suárez, não acreditava em maldições, mas ainda assim sabia que ia fazer gols cada vez que derramava vinho enquanto comia.

Para invocar os espíritos malignos da derrota, os torcedores jogam sal no campo inimigo. Para espantá-los, semeiam seu próprio campo com punhados de grãos de trigo ou de arroz. Outros acendem velas, oferecem aguardente à terra ou jogam flores no mar. Há torcedores que suplicam proteção a Jesus de Nazaré e às almas benditas que morreram queimadas, afogadas ou perdidas, e em vários lugares se comprovou que as lanças de São Jorge e seu gêmeo africano Ogum são muito eficazes contra o dragão do mau-olhado.

As gentilezas, por sua vez, devem ser agradecidas. Os torcedores favorecidos pelos deuses sobem de joelhos as encostas de altas montanhas, envoltos na bandeira do time, ou passam o resto de seus dias murmurando o milhão de rosários que juraram rezar. Quando o Botafogo foi campeão em 1957, Didi saiu de campo sem passar pelo vestiário e assim, com seu uniforme de futebol, pagou a promessa que tinha feito ao seu santo padroeiro: atravessou a pé a cidade do Rio de Janeiro, de ponta a ponta.

Mas as divindades nem sempre dispõem do tempo necessário para vir em socorro dos jogadores atormentados pela desgraça. A seleção do México tinha chegado ao Mundial de 30 abatida por prognósticos pessimistas. Na véspera da partida contra a França, o treinador mexicano, Juan Luqué de Serrallonga, dirigiu uma mensagem de ânimo aos jogadores reunidos em seu hotel de Montevidéu: garantiu-lhes que a Virgem de Guadalupe estava rezando por eles lá na pátria, no morro de Tepeyac.

O treinador não estava bem informado sobre as múltiplas atividades da Virgem. A França meteu-lhes quatro gols e o México foi o lanterninha do campeonato.

Erico

Em plena guerra do Chaco, enquanto os camponeses da Bolívia e do Paraguai marchavam para o matadouro, os atletas paraguaios jogavam longe de suas fronteiras recolhendo dinheiro para os muitos feridos, que caíam sem amparo num deserto onde não cantavam os pássaros nem as pessoas deixavam pegadas. Assim chegou Arsenio Erico a Buenos Aires, e em Buenos Aires ficou. Foi paraguaio o maior artilheiro do campeonato argentino de todos os tempos. Erico fazia mais de quarenta gols por temporada.

Tinha, escondidas no corpo, molas secretas. O grande feiticeiro saltava sem tomar impulso, e sua cabeça chegava sempre mais alto que as mãos do goleiro, e quanto mais adormecidas pareciam suas pernas, com mais força descarregavam de repente chicotadas ao gol. Com frequência, Erico atormentava de calcanhar. Não houve calcanhar mais certeiro na história do futebol.

Quando Erico não fazia gols, ele os oferecia, de bandeja, aos seus companheiros. Cátulo Castillo dedicou-lhe um tango:

> *Passará um milênio sem que ninguém*
> *repita tua proeza*
> *do passe de calcanhar ou de cabeça.*

E fazia tudo com a elegância de um bailarino. "É Nijinski", observou o escritor francês Paul Morand, quando o viu jogar.

O Mundial de 38

Max Theiler descobria a vacina contra a febre amarela, nascia a fotografia em cores, Walt Disney estreava *Branca de neve*, Eisenstein filmava *Alexandre Nevski*. O nylon, recém-inventado por um professor de Harvard, começava a transformar-se em paraquedas e meias de mulher.

Suicidavam-se os poetas argentinos Alfonsina Storni e Leopoldo Lugones. Lázaro Cárdenas nacionalizava o petróleo no México e enfrentava o bloqueio e outras fúrias das potências ocidentais. Orson Welles inventava uma invasão de marcianos aos Estados Unidos e a transmitia por rádio, para assustar incautos, enquanto a

Standard Oil exigia que os Estados Unidos invadissem o México de verdade, para castigar o sacrilégio de Cárdenas e evitar o mau exemplo.

Na Itália redigia-se o *Manifesto sobre a raça*, começavam os atentados antissemitas, a Alemanha ocupava a Áustria, Hitler se dedicava a caçar judeus e a devorar territórios. O governo inglês ensinava os cidadãos a defender-se dos gases asfixiantes e mandava estocar alimentos. Franco encurralava os últimos bastiões da República Espanhola e o Vaticano reconhecia seu governo. César Vallejo morria em Paris, talvez debaixo de aguaceiro, enquanto Sartre publicava *A náusea*. E ali, em Paris, onde Picasso exibia sua *Guernica* denunciando o tempo da infâmia, inaugurava-se o terceiro Campeonato Mundial de Futebol, sob a sombra ameaçadora da guerra que chegava. No estádio de Colombes, o presidente da França, Albert Lebrun, deu o pontapé inicial: mirou a bola, mas chutou o chão.

Como o anterior, este foi um campeonato da Europa. Só dois países americanos, e onze europeus, participaram do Mundial de 38. A seleção da Indonésia, que ainda se chamava Índias Holandesas, chegou a Paris como solitária representante de todo o resto do planeta.

A Alemanha incorporou cinco jogadores da recém-anexada Áustria. A esquadra alemã assim reforçada irrompeu dando-se ares de imbatível, com a cruz suástica no peito e toda a simbologia nazista do poder, mas tropeçou e caiu diante da modesta Suíça. A derrota alemã ocorreu poucos dias antes da supremacia ariana sofrer um duro golpe em Nova York, quando o boxeador negro Joe Louis pulverizou o campeão alemão Max Schmeling.

A Itália, por outro lado, repetiu sua campanha da Copa anterior. Nas semifinais, os *azzurri* derrotaram o Brasil. Houve um pênalti duvidoso, os brasileiros protestaram em vão. Como em 34, todos os árbitros eram europeus.

Depois chegou a final, que a Itália disputou contra a Hungria. Para Mussolini, este triunfo era uma questão de Estado. Na véspera, os jogadores italianos receberam, de Roma, um telegrama de três palavras, assinado pelo chefe do fascismo: *Vencer ou morrer*. Não houve necessidade de morrer, porque a Itália ganhou por 4 a 2. No dia seguinte, os vencedores vestiram uniforme militar na cerimônia de comemoração, presidida pelo *Duce*.

O jornal *La Gazzetta dello Sport* exaltou então "a apoteose do esporte fascista nesta vitória da raça". Pouco antes, a imprensa oficial italiana tinha comemorado assim a derrota da seleção brasileira: "Saudamos o triunfo da inteligência itálica contra a força bruta dos negros".

A imprensa internacional escolheu, enquanto isso, os melhores jogadores do torneio. Entre eles, dois negros, os brasileiros Leônidas e Domingos da Guia. Leônidas foi, além disso, o artilheiro, com oito tentos, seguido pelo húngaro Zsengeller, com sete. Dos gols de Leônidas, o mais bonito foi feito contra a Polônia, de pé descalço. Leônidas havia perdido a chuteira, no barro da área, sob a chuva torrencial.

Gol de Meazza

Foi no Mundial de 38. Nas semifinais, Itália e Brasil jogavam sua sorte no tudo ou nada.

O atacante italiano Piola desabou de repente, como se fulminado por um tiro, e com seu único dedo vivo assinalou o beque brasileiro Domingos da Guia. O árbitro suíço acreditou nele, soou o apito: pênalti. Enquanto os brasileiros gritavam aos céus e Piola levantava-se sacudindo a poeira, Giuseppe Meazza colocou a bola no ponto de fuzilamento.

Meazza era o galã do quadro. Baixinho, passional e boa-pinta, elegante artilheiro de pênaltis, levantava a cabeça convocando o goleiro, como o matador de touros no lance final. E seus pés, flexíveis e sábios como mãos, nunca se enganavam. Mas Walter, o goleiro brasileiro, era um bom defensor de pênaltis, e tinha confiança em si.

Meazza tomou impulso, e no preciso momento em que ia disparar o golpe, suas calças caíram. O público ficou estupefato e o juiz quase engoliu o apito. Mas Meazza, sem parar, segurou as calças com uma mão e venceu o arqueiro desarmado pela risada.

Esse foi o gol que levou a Itália à final do campeonato.

Leônidas

Tinha o tamanho, a velocidade e a malícia de um mosquito. No Mundial de 38, um jornalista francês, da revista *Match,* contou-lhe seis pernas e opinou que ter tantas pernas era coisa de magia negra. Não sei se o jornalista francês terá percebido que, para cúmulo, as muitas pernas de Leônidas podiam esticar-se por vários metros e se dobravam ou encolhiam de maneira diabólica.

Leônidas da Silva entrou em campo no dia em que Artur Friedenreich, já quarentão, se afastou. Recebeu o cetro do velho mestre. Em pouco tempo, seu nome já era marca de cigarros e de chocolates. Recebia mais cartas que artista de cinema: as cartas lhe pediam uma foto, um autógrafo ou um emprego público.

Leônidas fez muitos gols, que nunca contou. Alguns foram feitos do ar, os pés girando, a cabeça para baixo, de costas para o arco: foi muito hábil nas acrobacias da *chilena*, que os brasileiros chamam de *bicicleta*.

Os gols de Leônidas eram tão lindos que até o goleiro vencido se levantava para felicitá-lo.

Domingos

A leste, a Muralha da China. A oeste, Domingos da Guia.

Nunca houve zagueiro mais sólido na história do futebol. Domingos foi campeão em quatro cidades – Rio de Janeiro, São Paulo, Montevidéu, Buenos Aires – e foi adorado pelas quatro: quando jogava, os estádios enchiam.

Antes, os zagueiros se agarravam aos atacantes feito selos em envelope, e livravam-se da bola como se ela lhes queimasse os pés, chutando-a o quanto antes para o alto. Domingos, ao contrário, deixava passar o adversário, investida vã, enquanto lhe roubava a bola, e depois tomava todo o tempo do mundo para tirar a pelota da zona de perigo. Homem de estilo imperturbável, fazia tudo assobiando e olhando para outro lado. Desprezava a velocidade. Jogava em câmara lenta, mestre do suspense, amante da lentidão: chamou-se *domingada* a arte de sair da área com toda a calma, como ele fazia, soltando a bola sem correr e sem querer, porque tinha pena de ficar sem ela.

Domingos e ela

Esta aqui, a bola, me ajudou muito. Ela ou as irmãs dela, não é? É uma família, e sinto gratidão por ela. Na minha passagem pela Terra, ela foi o principal. Porque sem ela ninguém joga. Comecei na fábrica Bangu, trabalhando, trabalhando, até que encontrei minha amiga. E fui muito feliz com essa aí.

Conheço o mundo inteiro, viajei muito, muitas mulheres. Isso também é uma coisa gostosa, não é?

(Testemunho dado a Roberto Moura)

Gol de Atílio

Foi em 1939. O Nacional de Montevidéu e o Boca Juniors de Buenos Aires estavam empatados em dois gols, e a partida estava chegando ao fim. Os do Nacional atacavam; os do Boca, recuados, aguentavam. Então Atílio García recebeu a bola, enfrentou uma selva de pernas, abriu espaço pela direita e engoliu o campo comendo adversários.

Atílio estava acostumado às machadadas. Batiam nele de tudo que é jeito, suas pernas eram um mapa de cicatrizes. Naquela tarde, a caminho do gol, recebeu entradas duras de Angeletti e Suárez, e deu-se ao luxo de esquivá-los duas vezes. Valussi rasgou sua camisa, agarrou-o pelo braço e lhe deu um pontapé e o corpulento Ibáñez plantou-se na sua frente em plena corrida, mas a bola fazia parte do corpo de Atílio e ninguém podia parar aquele redemoinho que derrubava jogadores como se fossem bonecos de trapo, até que no fim Atílio desprendeu-se da bola e seu tiro tremendo sacudiu a rede.

O ar cheirava a pólvora. Os jogadores do Boca cercaram o juiz: exigiam que anulasse o gol pelas faltas que *eles* tinham cometido. Como o árbitro não lhes deu atenção, os jogadores se retiraram, indignados, do campo.

O beijo perfeito que quer ser único

São vários os argentinos que juram, a mão no coração, que foi Enrique García, o *Chueco*, ponta-esquerda do Racing. E são vários os uruguaios que juram, os dedos em cruz sobre os lábios, que foi Pedro Lago, o Mulero, atacante do Peñarol. Foi um, foi outro, ou foram os dois.

Há meio século, ou mais, quando Lago ou García faziam um gol perfeito, desses que deixam os adversários paralisados de raiva ou de admiração, recolhiam a bola do fundo da rede e com ela debaixo do braço desfaziam seu caminho, passo a passo, arrastando os pés: assim, levantando poeira, apagavam suas pegadas, para que ninguém copiasse sua jogada.

A Máquina

Em princípios da década de 40, o clube argentino River Plate formou uma das melhores equipes de futebol de todos os tempos.

"Uns entram, outros saem, todos sobem, todos voltam", explicava Carlos Peucelle, um dos pais da criança. Em rotação permanente, os jogadores mudavam de posição entre si, os defensores atacavam, os atacantes defendiam: "No quadro-negro e no campo", dizia Peucelle, "nosso esquema tático não é o tradicional 1-2-3-5. É o 1-10".

Embora todos fizessem de tudo, naquele River sobressaía a linha de frente. Muñoz, Moreno, Pederneira, Labruna e Loustau só estiveram juntos em dezoito partidas, mas fizeram história e continuam dando o que falar. Os cinco jogavam às cegas, entendendo-se por assobios: assobiando inventavam caminhos na cancha e assobiando chamavam a bola, que como cãozinho alegre os seguia sem nunca se perder.

O público batizou com o nome de *A Máquina* aquela equipe lendária, pela precisão de suas jogadas. Era um elogio duvidoso. Eles não tinham nada a ver com a frieza mecânica. Aqueles eram desses raros jogadores que se deleitavam jogando, e de tanto prazer se esqueciam de chutar para o gol. Mais justa era a torcida quando os chamava de *Cavalheiros da Angústia,* porque aqueles gozadores faziam seus devotos suar em bicas, antes de conceder-lhes o alívio do gol.

Moreno

Era chamado de *Charro*, por sua pinta de galã de cinema mexicano, mas ele vinha da várzea, do riacho de Buenos Aires.

José Manuel Moreno, o mais querido dos jogadores de *A Máquina* do River, gozava despistando: suas pernas piratas se lançavam por aqui mas iam por ali, sua cabeça bandida prometia o gol numa trave e o cravava na outra.

Quando algum adversário o derrubava com um pontapé, Moreno se levantava sem protestar e sem pedir ajuda, e por mais machucado que estivesse, continuava jogando. Era orgulhoso e fanfarrão, e era brigão, capaz de lutar a murros contra toda a torcida inimiga e também contra a própria torcida, que o adorava, mas tinha o mau costume de insultá-lo toda vez que o River perdia.

Milongueiro, mulherengo, homem da noite de Buenos Aires, Moreno acordava enrolado nos cachos de cabelo de algumas mulheres, ou debruçado em algum balcão de bar:

– *O tango* – dizia – *é o melhor treino: levas o ritmo, mudas numa corrida, manejas os perfis, fazes trabalho de cintura e de pernas.*

Nos domingos ao meio-dia, antes de cada partida, devorava uma tigela de ensopado de galinha e esvaziava mais de uma garrafa de vinho tinto. Os dirigentes do River mandaram ele acabar com aquela vida, indigna de um atleta profissional. Ele fez o possível. Não participou de noitadas durante toda uma semana nem bebeu nada além de leite, e então jogou a pior partida de sua vida. Quando voltou a suas escapulidas, o time o suspendeu. Seus companheiros fizeram greve, em solidariedade ao boêmio incorrigível, e o River teve que jogar nove rodadas com reservas.

Elogio da farra: Moreno foi um dos jogadores de mais longa duração na história do futebol. Jogou durante vinte anos na primeira divisão de vários times da Argentina, Chile, Uruguai e Colômbia. Em 1946, quando voltou do México, a torcida do River, louca por tornar a ver sua intuição e suas broncas, não coube no estádio. Seus devotos pularam o alambrado, invadiram o campo: fez três gols, saiu carregado nos braços dos torcedores. Em 1952, recebeu uma oferta tentadora do Nacional de Montevidéu, mas preferiu jogar para outro time uruguaio, o Defensor, um clube pequeno que podia pagar pouco ou nada, porque no Defensor estavam seus amigos. Naquele ano, Moreno salvou o Defensor de ser rebaixado.

Em 1961, já tendo parado de jogar, era técnico do Medellín da Colômbia. O Medellín estava perdendo uma partida contra o Boca Juniors, da Argentina, e os jogadores não encontravam o caminho do arco. Então Moreno, que tinha 45 anos, trocou de roupa, entrou no campo, fez dois gols e o Medellín ganhou.

Pedernera

"Defendi um pênalti que vai ficar para a história de Letícia", contava, numa carta vinda da Colômbia, um jovem argentino. Chamava-se Ernesto Guevara, e ainda não era o Che. Em 1952, andava percorrendo sorte e destino pelos caminhos da América. Nas margens do rio Amazonas, em Letícia, foi treinador de uma equipe de futebol. Chamava seu companheiro de viagem de *Pedernerita*. Não havia melhor maneira de elogiá-lo.

Adolfo Pedernera tinha sido o eixo de *A Máquina* do River. Aquele homem-orquestra ocupava todas as posições, de uma ponta a outra da linha de ataque. De trás, gerava jogo, dava passes por um buraco de agulha, mudava de marcha, surpreendia no pique; na frente, fulminava goleiros.

A vontade de jogar fazia cócegas em seu corpo. Não queria que as partidas terminassem nunca. Quando a noite caía, tentavam, em vão, tirá-lo dos treinos. Queriam arrancá-lo do futebol, mas não podiam, porque era o futebol que se negava a desprender-se dele.

Gol de Severino

Foi em 1943. O Boca Juniors jogava, contra *A Máquina* do River, o clássico do futebol argentino.

O Boca estava perdendo por um gol, quando o árbitro apitou uma falta na risca da área do River. Sosa cobrou o tiro livre. Não chutou para o arco: centrou, buscando a cabeça de Severino Varela. A bola chegou muito adiantada. Estava fácil para a retaguarda do River, Severino estava longe; mas o veterano atacante decolou do chão e viajando no ar meteu-se entre vários defensores e deu uma cabeçada fulminante que venceu o arqueiro.

Os torcedores o chamavam de a *Boina Fantasma,* porque chegava voando e aparecia sem convite na boca do gol. Severino já tinha vários anos e boa reputação no time uruguaio Peñarol quando chegou a Buenos Aires, com sua invicta cara de menino travesso e sua boina branca grudada no crânio.

No Boca, brilhou. Mas ao anoitecer de todo domingo, depois da partida, Severino tomava o barco e voltava para Montevidéu, para o bairro, os amigos e seu trabalho na usina.

Bombas

Enquanto a guerra atormentava o mundo, os jornais do Rio de Janeiro anunciaram um bombardeio de Londres no campo do Bangu. Em meados de 1943, havia a partida contra o São Cristóvão, e a torcida do Bangu ia soltar quatro mil foguetes. O maior bombardeio da história do futebol.

Quando os jogadores do Bangu entraram no campo, e começaram aqueles trovões e relâmpagos de pólvora, o técnico do São Cristóvão trancou seus jogadores no vestiário e meteu-lhes tampões de algodão nos ouvidos. Enquanto durou o foguetório, e durou muito, tremeu o piso do vestiário, e tremeram as paredes e também os jogadores: todos de cócoras, a cabeça entre as mãos, dentes muito apertados e olhos fechados, os jogadores sentiam que a guerra mundial tinha chegado em casa.

Tremendo, entraram em campo. Quem não estava sofrendo um ataque epilético, sofria de malária. O céu estava negro de pólvora. O Bangu ganhou de goleada.

Pouco depois, iam disputar uma partida as seleções do Rio de Janeiro e de São Paulo. Outra vez houve clima de guerra, e os jornais anunciaram um ataque contra Pearl Harbour, um cerco de Leningrado e outros cataclismas. Os paulistas sabiam que no Rio os esperava o mais feroz estrépito jamais escutado. Então o técnico do São Paulo teve uma ideia inteligentíssima: em vez de ficarem fechados no vestiário, seus jogadores iam entrar em campo ao mesmo tempo que os cariocas, para que o bombardeio, em vez de assustá-los, lhes desse as boas-vindas.

E assim foi, mas o São Paulo perdeu por 6 a 0.

O homem que transformou o ferro em vento

Eduardo Chillida era goleiro do Real Sociedad, na cidade basca de San Sebastián. Alto, enxuto, tinha uma maneira muito própria de defender, e o Barcelona e o Real Madrid já tinham posto o olho nele. Diziam os especialistas que esse rapaz ia ser o herdeiro de Zamora.

Mas o destino tinha outros planos. Em 1943, um atacante rival, chamado Sañudo, arrebentou seus meniscos e muito mais. Após cinco operações no joelho, Chillida disse adeus ao futebol e não teve outro remédio a não ser tornar-se escultor.

Assim nasceu um dos grandes artistas do século. Chillida trabalha com materiais pesados, desses que afundam na terra, mas suas mãos poderosas lançam ao ar o ferro e o concreto, que voando descobrem outros espaços e criam outras dimensões. Antes, no futebol, ele fazia a mesma coisa com o corpo.

Uma terapia de vínculo

Enrique Pichon-Rivière passou a vida penetrando nos mistérios da tristeza humana e ajudando a abrir as cadeias da incomunicação.

No futebol, encontrou um aliado eficaz. Lá pelos anos 40, Pichon-Rivière organizou uma equipe de futebol com seus pacientes do manicômio. Os loucos, imbatíveis nas canchas do litoral argentino, praticavam, jogando, a melhor terapia de socialização.

– *A estratégia da equipe de futebol é minha tarefa prioritária* – dizia o psiquiatra, que também era treinador e artilheiro do time.

Meio século depois, os seres urbanos estamos todos mais ou menos loucos, embora quase todos vivamos, por razões de espaço, fora do manicômio. Desalojados pelos automóveis, encurralados pela violência, condenados ao isolamento, estamos cada vez mais amontoados e cada vez mais sozinhos e temos cada vez menos espaços de encontro e menos tempo para nos encontrarmos.

No futebol, como em tudo mais, são muito mais numerosos os consumidores que os criadores. O cimento cobriu os campos baldios onde qualquer um podia jogar uma pelada a qualquer momento, e o trabalho devorou o tempo do jogo. A maioria das pessoas não joga, mas vê outros jogarem, pela televisão ou da arquibancada cada vez mais longe do campo. O futebol se transformou, como o carnaval, em espetáculo para massas. Mas assim como no carnaval há os que se põem a dançar na rua além de contemplar os artistas que cantam e dançam, também no futebol não faltam os espectadores que de vez em quando se fazem protagonistas, pela pura alegria, além de olhar e admirar os jogadores profissionais. E não só os meninos: de certa forma, e por mais longe que estejam os campos possíveis, os amigos do bairro e os companheiros da fábrica, do escritório ou da faculdade, continuam dando um jeito para se divertir com a bola até que caem esgotados, e então vencedores e vencidos bebem juntos, e fumam, e partilham uma boa comida, esses prazeres proibidos para o esportista profissional.

Às vezes, também as mulheres participam, e fazem seus próprios gols, embora em geral a tradição machista as mantenha exiladas destas festas da comunicação.

Gol de Martino

Foi em 1946. O time do Nacional, do Uruguai, estava vencendo o argentino San Lorenzo e fechava suas linhas de defesa diante das ameaças de René Pontoni e Rinaldo Martino. Esses jogadores tinham ganhado fama fazendo a bola falar, e tinham o costume de fazer gols como quem respira.

Martino chegou à beira da área. Ali se pôs a passear com a bola como se tivesse todo o tempo do mundo. De repente, Pontoni partiu como um raio para a ponta direita. Martino parou, levantou a cabeça, olhou para ele. Então os defensores do Nacional se lançaram em massa sobre Pontoni, e enquanto os galgos perseguiam a lebre, Martino entrou na área, sossegado que nem boi no pasto, desviou-se do zagueiro que restava, chutou e fulminou.

O gol foi de Martino, mas também foi de Pontoni, que soube despistar.

Gol de Heleno

Foi em 1947. Botafogo versus Flamengo, no Rio de Janeiro. Heleno de Freitas, atacante do Botafogo, fez um gol de peito.

Heleno estava de costas para o arco. A bola chegou lá de cima. Ele parou-a com o peito e se voltou sem deixá-la cair. Com o corpo arqueado e a bola no peito, enfrentou a situação. Entre o gol e ele, uma multidão. Na área do Flamengo havia mais gente que em todo o Brasil. Se a bola caísse no chão, estava perdido. E então Heleno pôs-se a caminhar, sempre curvado para trás, e com a bola no peito atravessou tranquilamente as linhas inimigas. Ninguém podia tirá-la sem fazer falta, e estavam na zona de perigo. Quando chegou às portas do gol, Heleno endireitou o corpo. A bola deslizou até seus pés. E ele arrematou.

Heleno de Freitas tinha pinta de cigano, cara de Rodolfo Valentino e humor de cão raivoso. Nas canchas, resplandecia.

Uma noite, perdeu todo o seu dinheiro no cassino. Outra noite, perdeu não se sabe onde toda a vontade de viver. E na última noite morreu, delirando, num hospício.

A Copa de 50

Nascia a televisão em cores. Os computadores faziam mil somas por segundo, Marilyn Monroe surgia em Hollywood. Um filme de Buñuel, *Los olvidados,* arrasava em Cannes. O automóvel de Fangio triunfava na França. Bertrand Russel ganhava o Nobel. Neruda publicava seu *Canto geral* e apareciam as primeiras edições de *A vida breve*, de Onetti, e de *O labirinto da solidão*, de Octavio Paz.

Albizu Campos, que tinha lutado muito pela independência de Porto Rico, era condenado nos Estados Unidos a 79 anos de prisão. Um delator entregava Salvatore Giuliano, o lendário bandido do sul da Itália, que caía crivado pelas balas da polícia. Na China, o governo de Mao dava seus primeiros passos, proibindo a poligamia e a venda de crianças. As tropas norte-americanas entravam a sangue e fogo na península da Coreia, envoltas na bandeira das Nações Unidas, enquanto os jogadores de futebol aterrissavam no Rio de Janeiro para disputar a quarta Copa Jules Rimet, depois do longo parêntese dos anos da guerra mundial.

Sete países americanos e seis nações europeias, recém-ressurgidas dos escombros, participaram do torneio brasileiro de 50. A FIFA proibiu que a Alemanha jogasse. Pela primeira vez, a Inglaterra compareceu ao campeonato mundial. Até então, os ingleses não tinham acreditado que tais escaramuças fossem dignas de seus desvelos. A equipe inglesa caiu derrotada pelos Estados Unidos, creia-se ou não, e o gol da vitória norte-americana não foi obra do general George Washington, mas de um centroavante haitiano e negro chamado Larry Gaetjens.

O Brasil e o Uruguai disputaram a final no Maracanã. O dono da casa estreava o maior estádio do mundo. O Brasil era uma barbada. A final era uma festa. Os jogadores brasileiros, que vinham esmagando todos os seus rivais de goleada em goleada, receberam, na véspera, relógios de ouro gravados no dorso: *Aos campeões do mundo*. As primeiras páginas dos jornais já estavam impressas, já estava armado o imenso cortejo de carnaval que ia encabeçar os festejos, já tinham vendido meio milhão de camisetas com grandes letreiros que comemoravam a vitória inevitável.

Quando o brasileiro Friaça converteu o primeiro gol, um estrondo de duzentos mil gritos e muitos foguetes sacudiu o monumental estádio. Mas depois Schiaffino cravou o gol do empate e um tiro cruzado de Ghiggia deu o campeonato ao Uruguai, que acabou ganhando por 2 a 1. Quando houve o gol de Ghiggia, explodiu o silêncio no Maracanã, o mais estrepitoso silêncio da história do futebol, e Ary Barroso, o músico autor de *Aquarela do Brasil*, que estava transmitindo a partida para todo o país, decidiu abandonar para sempre o ofício de locutor de futebol.

Depois do apito final, os comentaristas brasileiros definiram a derrota como a *pior tragédia da história do Brasil*. Jules Rimet perambulava pelo campo, perdido, abraçado ao troféu que levava seu nome:

– *Fiquei sozinho, com a taça em meus braços e sem saber o que fazer. Acabei por descobrir o capitão uruguaio, Obdulio Varela, e a entreguei quase às escondidas. Apertei-lhe a mão sem dizer nem uma palavra.*

No bolso, Rimet levava o discurso que tinha feito em homenagem ao campeão brasileiro.

O Uruguai tinha se imposto limpamente: a seleção uruguaia cometeu onze faltas, e a brasileira, 21.

O terceiro lugar foi para a Suécia. O quarto, para a Espanha. O brasileiro Ademir encabeçou o quadro de artilheiros, com nove gols, seguido pelo uruguaio Schiaffino, com seis, e o espanhol Zarra, com cinco.

Obdulio

Eu era menino e peladeiro, e como todos os uruguaios estava grudado no rádio, escutando a final da Copa do Mundo. Quando a voz de Carlos Solé transmitiu a triste notícia do gol brasileiro, minha alma caiu no chão. Recorri então ao mais poderoso de meus amigos. Prometi a Deus uma quantidade de sacrifícios, se Ele aparecesse no Maracanã e virasse o jogo.

Nunca consegui recordar as muitas coisas que prometi, e por isso nunca pude cumpri-las. Além disso, a vitória do Uruguai diante da maior multidão jamais reunida numa partida de futebol tinha sido sem dúvida um milagre, mas o milagre foi acima de tudo obra de um mortal de carne e osso chamado Obdulio Varela. Obdulio tinha esfriado a partida, quando a avalanche nos caía em cima, e depois carregou toda a equipe nos ombros e com pura coragem impeliu-a contra ventos e marés.

No final daquela jornada, os jornalistas acossaram o herói. E ele não bateu no peito proclamando *somos os melhores* e que *não há quem possa com a garra nacional:*

– *Foi casualidade* – murmurou Obdulio, abanando a cabeça. E quando quiseram fotografá-lo, virou de costas.

Passou aquela noite bebendo cerveja, de bar em bar, abraçado aos vencidos, nos balcões do Rio de Janeiro. Os brasileiros choravam. Ninguém o reconheceu. No dia seguinte, fugiu da multidão que o esperava no aeroporto de Montevidéu, onde seu nome brilhava num enorme letreiro luminoso. No meio da euforia, escapuliu disfarçado de Humphrey Bogart, com um chapéu metido até o nariz e um impermeável de gola levantada.

Em recompensa pela façanha, os dirigentes do futebol uruguaio deram a si mesmos medalhas de ouro. Aos jogadores, deram medalhas de prata e algum dinheiro. O prêmio que Obdulio recebeu deu para comprar um Ford modelo 31, que foi roubado naquela mesma semana.

Barbosa

Na hora de escolher o melhor goleiro do campeonato, os jornalistas do Mundial de 50 votaram, por unanimidade, no brasileiro Moacir Barbosa. Barbosa era também, sem dúvida, o melhor goleiro de seu país, pernas com molas, homem sereno e seguro que transmitia confiança à equipe, e continuou sendo o melhor até que se retirou das canchas, tempos depois, com mais de quarenta anos de idade. Em tantos anos de futebol, Barbosa evitou quem sabe quantos gols, sem machucar nunca nenhum atacante.

Mas naquela final de 50, o atacante uruguaio Ghiggia o tinha surpreendido com um chute certeiro da ponta direita. Barbosa, que estava adiantado, deu um salto para trás, roçou a bola e caiu. Quando se levantou, certo de que havia desviado o tiro, encontrou a bola no fundo da rede. E esse foi o gol que esmagou o estádio do Maracanã e fez o Uruguai campeão.

Passaram-se os anos e Barbosa nunca foi perdoado. Em 1993, durante as eliminatórias para o Mundial dos Estados Unidos, quis dar ânimo aos jogadores da seleção brasileira. Foi visitá-los na concentração, mas as autoridades proibiram sua entrada. Naquela época, vivia de favor na casa de uma cunhada, sem outra renda além de uma aposentadoria miserável. Barbosa comentou:

– *No Brasil, a pena maior por um crime é de trinta anos de cadeia. Há 43 anos pago por um crime que não cometi.*

Gol de Zarra

Foi no Mundial de 50. A Espanha acossava a Inglaterra, que só atinava em chutar de longe.

O ponta Gaínza devorou a cancha pela esquerda, passou por meia defesa e cruzou a bola para a meta inglesa. O zagueiro Ramsey chegou a tocá-la, de costas, no contrapé, quando Zarra arremeteu e meteu a bola, raspando a trave esquerda.

Telmo Zarra, goleador da Espanha em seis campeonatos, herdeiro do toureiro Manolete na paixão popular, jogava com três pernas. A terceira perna era sua cabeça fulminante. Foram de cabeça seus gols mais famosos. Zarra não fez de cabeça aquele gol da vitória, mas comemorou-o apertando entre as mãos a medalhinha da Imaculada, pendurada no peito.

O dirigente máximo do futebol espanhol, Armando Muñoz Calero, que tinha participado da invasão nazista a terras russas, enviou por rádio uma mensagem ao generalíssimo Franco:

– *Excelência: vencemos a pérfida Albion.*

Era a vingança pela aniquilação da Invencível Armada Espanhola, que tinha sido derrotada em 1588 nas águas do Canal da Mancha.

Muñoz Calero dedicou a partida "ao Melhor Caudilho do Mundo". Não dedicou a ninguém a partida seguinte, quando a Espanha enfrentou o Brasil e levou seis gols.

Gol de Zizinho

Foi no Mundial de 50. Na partida contra a Iugoslávia, Zizinho fez um gol bis.

Este senhor da graça do futebol tinha feito um gol legítimo, que o juiz anulou injustamente. Então, ele repetiu igualzinho, passo a passo. Zizinho entrou na área pelo mesmo lugar, esquivou-se do mesmo beque iugoslavo com a mesma delicadeza, escapando pela esquerda como tinha feito antes, e cravou a bola exatamente no mesmo ângulo. Depois chutou-a com fúria, várias vezes, contra a rede.

O árbitro compreendeu que Zizinho era capaz de repetir aquele gol dez vezes mais, e não teve outro remédio senão aceitá-lo.

Os engraçados

Julio Pérez, um dos campeões uruguaios de 50, levantava meu ânimo quando eu era criança. Era chamado de *Pataloca*, porque se desarticulava no ar e os adversários arregalavam os olhos: não podiam acreditar que as pernas voassem por um lado e o corpo voasse por outro, longe. Depois de fintar um monte de jogadores com aquelas jogadas marotas, Julio Pérez retrocedia e repetia diabruras. Nós, torcedores, festejávamos aquele folião das canchas, e graças a ele ríamos a bandeiras desfraldadas.

Alguns anos depois, tive a sorte de ver o brasileiro Garrincha, que também se deleitava inventando piadas com as pernas e que, às vezes, quando já estava pertinho do gol, dava marcha ré e começava tudo de novo, só para prolongar o prazer.

O Mundial de 54

Gelsomina e Zampanó brotavam da mão mágica de Fellini e sem nenhuma pressa faziam palhaçadas por *La Strada*, enquanto Fangio a mil por hora se consagrava campeão mundial de automobilismo pela segunda vez. Jonas Salk preparava a vacina contra a poliomielite. No Pacífico, explodia a primeira bomba de hidrogênio. No Vietnã, o general Giap nocauteava o exército francês na fulminante batalha de Dien Bien Phu. Na Argélia, outra colônia francesa, começava a guerra da independência.

O general Stroessner era eleito presidente do Paraguai, em uma dura competição contra nenhum candidato. No Brasil, estreitava-se o cerco de militares e empresários, armas e dinheiro, contra o presidente Getúlio Vargas, que pouco depois estouraria o próprio coração com um tiro. Aviões norte-americanos bombardeavam a Guatemala, com a bênção da OEA, e um exército fabricado no norte invadia, matava e vencia.

Enquanto na Suíça se cantavam os hinos de dezesseis países, inaugurando o quinto Campeonato Mundial de Futebol, na Guatemala os vencedores cantavam o hino dos Estados Unidos, celebrando a queda do presidente Arbenz, cuja ideologia marxista-leninista estava fora de qualquer dúvida, pois havia se metido com as terras da United Fruit.

No Mundial de 54, participaram onze equipes europeias, três americanas, Turquia e Coreia do Sul. O Brasil estreou a camisa amarela com gola verde, uma vez que a camisa anterior, branca, tinha lhe dado azar no Maracanã. Mas a cor canarinho não teve efeito imediato: O Brasil foi derrotado pela Hungria numa partida violenta, e não pôde chegar nem às semifinais. A delegação brasileira denunciou à FIFA o árbitro inglês, que tinha atuado "a serviço do comunismo internacional, contra a Civilização Ocidental e Cristã".

A Hungria era a grande favorita daquela Copa. Fazia quatro anos que a demolidora equipe de Puskas, Kocsis e Hidegkuti estava invicta, e pouco antes do Mundial tinha goleado a Inglaterra por 7 a 1. Mas aquele acabou sendo um campeonato extenuante. Após o duro confronto com os brasileiros, os húngaros exauriram suas energias contra os uruguaios. A Hungria e o Uruguai jogaram à morte, sem tréguas, e se esgotaram mutuamente até que dois gols de Kocsis definiram a partida na prorrogação.

A final foi contra a Alemanha. A Hungria já havia dado uma surra nos alemães, 8 a 3, no começo do Mundial, e Puskas não tinha jogado. Na final, Puskas reapareceu, jogando a duras penas com uma perna só, à frente de uma equipe brilhante, mas esgotada. A Hungria, que estava ganhando por 2 a 0, acabou perdendo por

3 a 2, e a Alemanha conquistou seu primeiro título mundial. A Áustria chegou em terceiro lugar, e o Uruguai, em quarto.

O húngaro Kocsis foi o goleador da Copa, com onze gols, seguido pelo alemão Morlock, com oito, e o austríaco Probst, com seis. Dos onze gols de Kocsis, o maior golaço foi feito contra o Brasil. Kocsis se lançou como um avião, voou um bom tempo no ar e cabeceou no ângulo.

Gol de Rahn

Foi no Mundial de 54. A Hungria, favorita, disputava a final contra a Alemanha.

Faltavam seis minutos para o final do jogo, que estava empatado em 2 a 2, quando o robusto atacante alemão Helmut Rahn agarrou um rebote da defesa húngara na meia-lua da área. Rahn esquivou Lantos e disparou, de esquerda, um balaço que entrou junto à trave direita do arco de Grosics.

Heribert Zimmerman, o locutor mais popular da Alemanha, gritou aquele gol com paixão sul-americana:

– *Tooooooooooorrrrrrrrrr!!!!!*

Era o primeiro Mundial do qual a Alemanha conseguira participar depois da guerra, e o povo alemão sentiu que tinha novamente direito à existência: aquele grito de gol se transformou num símbolo da ressurreição nacional. Anos depois, o gol histórico ressoou na trilha sonora do filme de Fassbinder, *O casamento de Maria Braun,* que contava as desventuras de uma mulher que não sabia como abrir caminho entre as ruínas.

Os anúncios ambulantes

Em meados dos anos 50, o Peñarol assinou o primeiro contrato para estampar publicidade nas camisas do time. Dez jogadores apareceram com o nome de uma empresa no peito. Obdulio Varela jogou com a camisa de sempre, e explicou:

– *Antes, nós, os negros, éramos puxados por uma argola no nariz. Esse tempo já passou.*

Hoje em dia, cada jogador de futebol é um anúncio que joga.

Em 1989, Carlos Menem disputou uma partida amistosa vestindo a camisa da seleção argentina, junto a Maradona e os outros. Vendo-o pela televisão, a gente se perguntava se ele era o presidente da Argentina ou da Renault: Menem tinha estampado no peito uma enorme inscrição daquela empresa automobilística.

Nas camisetas das seleções que participaram do Mundial de 94, a marca Adidas ou Umbro era mais visível que o escudo nacional. No uniforme de treino da seleção alemã, junto à águia federal aparece a estrela da Mercedes Benz. A mesma estrela ilumina as roupas do VfB Stuttgart. O Bayern Munich, por seu lado, prefere os carros Opel. A indústria de embalagens Tetra Pak patrocina o Eintracht Frankfurt. Os jogadores do Borussia Dortmund promovem apólices de seguros Continentale e os do Borussia Mönchengladbach, a cerveja Diebels. Talcid e Larylin, produtos da empresa Bayer, aparecem nas camisas das equipes que usam o nome da empresa em Leverkusen e Uerdingen.

É mais importante a publicidade no peito que o número nas costas. Em 1993, o time argentino Racing, que não tinha quem o patrocinasse, publicou um anúncio desesperado no jornal *Clarín:* "Procura-se *sponsor*..." E a publicidade é mais importante, também, que os santos costumes que, pelo que dizem, o esporte promove. Naquele mesmo ano, quando os excessos nos estádios do Chile tomavam proporções alarmantes e se proibia a venda de álcool durante as partidas, a maioria dos times chilenos da primeira divisão oferecia bebidas alcoólicas – cerveja ou pisco – nas camisas de seus jogadores.

A propósito de santos costumes, já faz alguns anos que um milagre do Papa transformou o Espírito Santo em banco de crédito. Atualmente, o time italiano Lazio tem como *sponsor* o *Banco di Santo Spirito.* Vendo suas camisas, é como se cada jogador fosse um caixa de Deus.

No final do primeiro semestre de 1992, a empresa italiana *Motta* fez as contas: sua marca, que os jogadores do Milan ostentavam no peito, tinha sido vista 2.250 vezes nas fotos dos jornais e tinha aparecido em primeiro plano durante seis horas na televisão. *Motta* tinha pago ao Milan quatro milhões e meio de dólares, mas suas vendas de pão doce e outras guloseimas tinham aumentado em quinze milhões naquele mesmo período. Outra empresa italiana, a *Parmalat*, que vende derivados de leite em quarenta países, teve um ano de ouro em 1993. Sua equipe, o Parma, ganhou pela primeira vez a Recopa europeia, e na América do Sul foram campeões o Palmeiras, o Boca e o Peñarol, três equipes que exibem sua marca na camisa. Erguendo-se sobre dezoito empresas concorrentes, a *Parmalat* se impôs no mercado brasileiro, pela mão do futebol, enquanto também abria caminho entre os consumidores da Argentina e do Uruguai. Além disso, dito de passagem, a empresa se tornou dona de vários jogadores sul-americanos: não só das camisas, mas também das pernas. No Brasil, comprou por dez milhões de dólares Edilson, Mazinho, Edmundo, Cléber e Zinho, que jogam ou jogaram na seleção nacional, e outros sete jogadores do Palmeiras. Os interessados em adquiri-los devem dirigir-se à sede da companhia, em Parma, na Itália.

Desde que a televisão começou a mostrar de perto os jogadores, toda sua indumentária foi invadida, da cabeça aos pés, pela publicidade comercial. Quando um astro demora para amarrar as chuteiras, não é por inabilidade dos dedos, mas por astúcia do bolso: está exibindo a marca Adidas, Nike ou Reebok em seus pés. Já nas Olimpíadas de 1936, que Hitler organizou na Alemanha, os atletas vencedores mostravam as três barras da Adidas em suas chuteiras. No campeonato mundial de futebol em 1990, as barras da Adidas estavam nas chuteiras e em todo o resto. Dois jornalistas ingleses, Simson e Jennings, observaram que na partida final, disputada pela Alemanha e a Argentina, somente o apito do árbitro não pertencia à empresa. Da Adidas eram a bola e tudo que cobria os corpos dos jogadores, do árbitro e dos bandeirinhas.

Gol de Di Stéfano

Aconteceu em 1957. A Espanha jogava contra a Bélgica.

Miguel antecipou-se à defesa belga, infiltrou-se pela direita e cruzou. Di Stéfano mergulhou e no ar arrematou, de calcanhar. Gol.

Alfredo Di Stéfano, o astro argentino que havia se naturalizado espanhol, tinha o costume de fazer gols como esse. Qualquer meta aberta era um crime imperdoável, que exigia castigo imediato, e ele executava a pena aplicando estocadas de duende malvado.

Di Stéfano

O campo inteiro cabia nas suas chuteiras. A cancha nascia de seus pés, e de seus pés crescia. De arco a arco, Alfredo Di Stéfano corria e corria pelo gramado: com a bola, mudando de rumo, mudando de ritmo, do trotezinho cansado ao ciclone incontido; sem a bola, deslocando-se para os espaços vazios e buscando ar quando o jogo ficava congestionado.

Nunca parava quieto. Homem de cabeça erguida, via o campo inteiro e o atravessava a galope, abrindo brechas para lançar o assalto. Estava no princípio, durante e no final das jogadas de gol, e fazia gols de todas as cores:

Socorro, socorro, aí vem a flecha
voando a jato.

Na saída do estádio, era carregado pela multidão.

Di Stéfano foi o motor das três equipes que maravilharam o mundo nos anos 40 e 50: River Plate, onde substituiu Pedernera; Milionários de Bogotá, onde deslumbrou o mundo, ao lado de Pedernera; e o Real Madrid, onde foi o maior artilheiro da Espanha durante cinco anos seguidos. Em 1991, anos depois de Di Stéfano ter pendurado as chuteiras, a revista *France Football* deu o título de *melhor jogador do futebol europeu de todos os tempos* a este jogador nascido em Buenos Aires.

Gol de Garrincha

Foi em 1958, na Itália. A seleção do Brasil jogava contra o Fiorentina, a caminho do Mundial da Suécia.

Garrincha invadiu a área, deixou um beque sentado e se livrou de outro, e de outro. Quando já tinha enganado até o goleiro, descobriu que havia um jogador na linha do gol: Garrincha fez que sim, fez que não, fez de conta que chutava no ângulo e o pobre coitado bateu com o nariz na trave. Então, o arqueiro tornou a incomodar. Garrincha meteu-lhe a bola entre as pernas e entrou no arco.

Depois, com a bola debaixo do braço, voltou lentamente ao campo. Caminhava olhando para o chão, Chaplin em câmara lenta, como que pedindo desculpas por aquele gol, que levantou a cidade de Florença inteira.

O Mundial de 58

Os Estados Unidos lançavam um satélite para o mais alto do céu: a nova luazinha girava em torno da terra, cruzava com os sputniks soviéticos e não os cumprimentava. E enquanto as grandes potências competiam lá longe, aqui perto começava a guerra civil no Líbano, a Argélia ardia, a França se incendiava e o general De Gaulle levantava seus dois metros de altura sobre as chamas e prometia a salvação. Em Cuba fracassava a greve geral de Fidel Castro contra a ditadura de Batista, mas na Venezuela outra greve geral derrubava a ditadura de Pérez Jiménez. Na Colômbia, conservadores e liberais abençoavam com eleições sua partilha do poder, depois de uma década de guerra de extermínio mútuo, enquanto Richard Nixon era recebido a pedradas em seu passeio latino-americano. José Maria Arguedas publicava *Os rios profundos*. Apareciam *A região mais transparente*, de Carlos Fuentes, e os *Poemas de amor*, de Idea Vilariño.

Na Hungria, caíam fuzilados Imre Nagy e outros rebeldes de 56, que tinham querido democracia em vez de burocracia, e no Haiti morriam os rebeldes que tinham se lançado contra o palácio onde *Papa Doc* Duvalier reinava rodeado de feiticeiros e verdugos. João XXIII, João, o Bom, era o novo Papa de Roma, o príncipe Charles era sacramentado como futuro rei da Inglaterra. Barbie era a nova rainha das bonecas. João Havelange conquistava a coroa brasileira no negócio do futebol, enquanto na arte do futebol um rapaz de dezessete anos, chamado Pelé, consagrava-se rei do mundo.

A consagração de Pelé foi na Suécia, durante o sexto Campeonato Mundial. Participaram do torneio doze equipes europeias, quatro americanas e nenhuma de outras latitudes.

Os suecos puderam ver as partidas nos estádios e também em suas casas. Pela primeira vez uma Copa foi transmitida pela televisão, embora só tenha chegado ao vivo aos suecos: o resto do mundo recebeu-a depois.

Aquela foi, também, a primeira vez que um país ganhou a Copa jogando fora de seu continente. No Mundial de 58, a seleção brasileira começou mais ou menos, mas se tornou demolidora a partir do momento em que os jogadores se rebelaram e impuseram ao técnico a equipe que eles queriam. Então, cinco reservas viraram titulares. Entre eles, Pelé, um adolescente desconhecido, e Garrincha, que já trazia muita fama do Brasil e tinha brilhado muito nos jogos anteriores, mas tinha sido excluído do Mundial porque os estudos psicotécnicos tinham diagnosticado que era débil mental.

Eles, reservas negros de jogadores brancos, brilharam com luz própria na nova equipe de estrelas, junto a outro negro de jogo deslumbrante, Didi, que de trás organizava as magias.

Jogo e fogo: o jornal *World Sports*, de Londres, disse que era preciso beliscar o próprio braço para acreditar que aquilo era coisa deste planeta. Na semifinal, contra a França de Kopa e Fontaine, os brasileiros ganharam de 5 a 2, e outra vez de 5 a 2 na final contra os donos da casa. O capitão da Suécia, Liedholm, um dos jogadores mais limpos e elegantes da história do futebol, fez o primeiro gol da partida, mas depois Vavá, Pelé e Zagalo puseram as coisas em seu devido lugar, diante do olhar atônito do rei Gustavo Adolfo. O Brasil foi campeão invicto. Quando terminou a partida, os jogadores deram a bola a seu torcedor mais devoto, o negro Américo, massagista.

A França ficou em terceiro lugar e a Alemanha Federal, em quarto. O francês Fontaine encabeçou o quadro de artilheiros, com uma chuva de treze gols – oito de perna direita, quatro de esquerda e um de cabeça, seguido por Pelé e pelo alemão Helmut Rahn, que fizeram seis.

Gol de Nilton Santos

Foi no Mundial de 58. O Brasil estava ganhando de 1 a 0 contra a Áustria.

No começo do segundo tempo, Nilton Santos, o homem-chave da defesa brasileira, chamado de *Enciclopédia* pelo muito que sabia de futebol, avançou, partindo de seu campo. Abandonou a retaguarda, passou a linha central, esquivou um par de adversários e continuou seu caminho. O técnico brasileiro, Vicente Feola, corria também pela lateral do campo, mas do lado de fora. Suando em bicas, gritava:

– *Volta, volta!*

E Nilton, imperturbável, continuava sua corrida para a área adversária. O gordo Feola, desesperado, agarrava a cabeça, mas Nilton não passou a bola a nenhum atacante: fez toda a jogada sozinho, e culminou-a com um golaço.

Então Feola, feliz, comentou:

– *Viram só? Eu não disse? Este sim, sabe!*

Garrincha

Algum de seus muitos irmãos batizou-o de Garrincha, que é o nome de um passarinho inútil e feio. Quando começou a jogar futebol, os médicos o desenganaram: diagnosticaram que aquele anormal nunca chegaria a ser um esportista. Era um pobre resto de fome e de poliomielite, burro e manco, com um cérebro infantil, uma coluna vertebral em *S* e as duas pernas tortas para o mesmo lado.

Nunca houve um ponta-direita como ele. No Mundial de 58, foi o melhor em sua posição. No Mundial de 62, o melhor jogador do campeonato. Mas ao longo de seus anos nos campos, Garrincha foi além: ele foi o homem que deu mais alegria em toda a história do futebol.

Quando ele estava lá, o campo era um picadeiro de circo; a bola, um bicho amestrado; a partida, um convite à festa. Garrincha não deixava que lhe tomassem a bola, menino defendendo sua mascote, e a bola e ele faziam diabruras que matavam as pessoas de riso: ele saltava sobre ela, ela pulava sobre ele, ela se escondia, ele escapava, ela o expulsava, ela o perseguia. No caminho, os adversários trombavam entre si, enredavam nas próprias pernas, mareavam, caíam sentados.

Garrincha exercia suas picardias de malandro na lateral do campo, no lado direito, longe do centro: criado nos subúrbios, jogava nos subúrbios. Jogava para um time chamado Botafogo, e esse era ele: o Botafogo que incendiava os estádios, louco por cachaça e por tudo que ardesse, o que fugia das concentrações, pulando pela janela, porque dos terrenos baldios longínquos o chamava alguma bola que pedia para ser jogada, alguma música que exigia ser dançada, alguma mulher que queria ser beijada.

Um vencedor? Um perdedor com boa sorte. E a boa sorte não dura. Bem dizem no Brasil que se merda tivesse valor, os pobres nasceriam sem cu.

Garrincha morreu sua morte: pobre, bêbado e sozinho.

Didi

Os jornalistas o consagraram como o melhor criador de jogadas do Mundial de 58.

Ele foi o eixo da seleção brasileira. Corpo enxuto, pescoço longo, estátua erigida de si mesmo, Didi parecia um ícone africano plantado no centro do campo. Ali, era dono e senhor. Dali, disparava suas flechas envenenadas.

Ele era o mestre do passe em profundidade, meio gol que se tornava gol inteiro nos pés de Pelé, Garrincha ou Vavá, mas também fazia seus próprios gols. Chutando de longe, enganava o goleiro com a *folha seca:* batia na bola com o lado do pé e ela saía girando e girando voava, dava cambalhotas e mudava de rumo como uma folha seca perdida no vento, até que se metia entre as traves, no ângulo onde o goleiro não esperava.

Didi jogava quieto. Mostrando a bola, dizia:
– *Quem corre é ela.*
Didi sabia que ela está viva.

Didi e ela

Eu sempre tive muito carinho por ela. Porque se não a tratarmos com carinho, ela não obedece. Quando ela vinha, eu a dominava, ela obedecia. Às vezes ela ia por ali, e eu dizia: "Vem cá, filhinha", e a trazia. Eu pegava de calo, de joanete, e ela estava ali, obediente. Eu a tratava com tanto carinho como trato a minha mulher. Tinha por ela um carinho tremendo. Porque ela é fogo. Se você a maltratar, quebra a perna. É por isso que eu digo: "Rapazes, vamos, respeitem. Esta é uma menina que tem que ser tratada com muito amor...". Conforme o lugarzinho em que a tocarmos, ela toma um destino.

(Testemunho recolhido por Roberto Moura)

Kopa

Era chamado de *Napoleão do Futebol,* porque era baixinho e conquistador de territórios.

Com a bola no pé, crescia e dominava a cancha. Jogador de muita mobilidade e florida esquiva, Raymond Kopa escapulia para a meta desenhando arabescos na grama. Os técnicos arrancavam os cabelos, porque ele prendia muito a bola, e os franceses especialistas em futebol costumavam acusá-lo de um crime: ter um estilo sul-americano. Mas no Mundial de 58, Kopa foi incluído pelos jornalistas no *onze ideal,* e naquele ano ganhou o Globo de Ouro, que é dado ao melhor jogador da Europa.

O futebol havia arrancado Kopa da miséria. Tinha começado jogando numa equipe de mineiros. Filho de imigrantes poloneses, ele trabalhou a infância inteira, junto com o pai, nos túneis de carvão de Noeux, onde mergulhava todas as noites, para emergir na tarde seguinte.

Carrizo

Passou um quarto de século agarrando bolas com um ímã nas mãos e provocando pânico no campo adversário. Amadeo Carrizo fundou uma escola no futebol sul-americano. Foi o primeiro arqueiro que teve a audácia de sair da sua área para empurrar o ataque, correndo todos os riscos, criando perigo e até fintando adversários em várias ocasiões. Antes de Carrizo, isso tinha sido uma loucura proibida. Depois, a audácia contagiou. Seu compatriota Gatti, o colombiano Higuita e o paraguaio Chilavert tampouco se resignaram a que o goleiro fosse apenas um homem-muro, grudado à sua meta, e demonstraram que o arqueiro também pode ser um homem-lança.

O torcedor cultiva, como se sabe, o prazer da negação do outro: o jogador inimigo sempre merece condenação ou desprezo. Mas os torcedores argentinos de todas as bandeiras celebram Carrizo e concordam, uns mais, outros menos: ninguém, como ele, agarrou naqueles gramados. E no entanto, em 1958, quando a seleção argentina voltou com o rabo entre as pernas do Mundial da Suécia, o ídolo foi abandonado pela mão de Deus. A Argentina tinha sido goleada pela Tchecoslováquia por 6 a 1, e semelhante crime exigia uma expiação. A imprensa bateu, o público vaiou, Carrizo ficou com o ânimo no chão. E anos depois, em suas memórias, confessou tristemente:

– *Sempre me lembro mais dos gols que fizeram em mim do que dos chutes que agarrei.*

Fervor da camisa

O escritor uruguaio Paco Espínola não se interessava por futebol. Mas uma tarde, no verão de 1960, procurando o que escutar no rádio, Paco pescou por casualidade a transmissão de uma partida. Era o clássico local. O Peñarol levou uma goleada – 4 a 0 – do Nacional.

Quando caiu a noite, Paco estava tão triste que decidiu jantar sozinho, para não amargurar a vida de ninguém. De onde vinha tanta tristeza? Ele já estava quase acreditando que era uma tristeza sem razão, que era só a simples pena de ser mortal neste mundo, quando de repente percebeu que estava triste porque o Peñarol tinha perdido. Ele era torcedor do Peñarol e não sabia.

Quantos uruguaios estavam tristes como ele? E quantos, ao contrário, subiam pelas paredes de felicidade? Paco viveu uma revelação tardia. Normalmente, os uruguaios *pertencemos* ao Nacional ou ao Peñarol desde o dia em que nascemos. A pessoa diz, por exemplo: "Eu *sou* do Nacional". Assim é desde princípios do século. Os cronistas daqueles tempos contam que, nos bordéis de Montevidéu, as profissionais do amor atraíam clientes sentando-se na porta vestindo somente as camisas do Peñarol ou do Nacional.

Para o torcedor fanático, o prazer não está na vitória do próprio time, mas na derrota do outro. Em 1993, um jornal de Montevidéu entrevistou alguns rapazes que, durante a semana, ganhavam a vida carregando lenha, e nos domingos aproveitavam a vida gritando pelo Nacional no estádio. Um deles confessou: "Para mim, ver uma camisa do Peñarol dá nojo. Quero que perca sempre, mesmo que jogue contra estrangeiros".

O mesmo acontece em muitas outras cidades, também divididas ao meio. Em 1988, o Nacional venceu o Newell's na final da Copa americana. O Newell's é um dos dois clubes que dividem os amores da cidade de Rosario, no litoral da Argentina. Então, os torcedores do outro time, o Rosario Central, encheram as ruas da sua cidade festejando a derrota do Newell's para um time estrangeiro.

Creio que foi Osvaldo Soriano quem me contou a história da morte de um torcedor do Boca Juniors, em Buenos Aires. Aquele torcedor havia passado a vida inteira odiando o River Plate, como era sua obrigação, mas no leito de agonia pediu que o envolvessem na bandeira inimiga. E assim pôde comemorar, num último suspiro:

– *Morre um deles.*

Se o torcedor *pertence* ao time, por que não os jogadores? Muito raramente o torcedor aceita o novo destino de um jogador idolatrado. Mudar de time não é a mesma coisa que mudar de lugar de trabalho, embora o jogador seja, como é, um profissional que ganha a vida com suas pernas. A paixão pela camisa não tem muito a ver com o futebol moderno, mas o torcedor castiga o delito da deserção. Em 1989, quando o jogador brasileiro Bebeto passou do Flamengo para o Vasco da Gama, houve torcedores do Flamengo que iam às partidas do Vasco somente para vaiar o traidor. Choveram ameaças contra ele, e o feiticeiro mais temível do Rio de Janeiro lançou sua maldição. Bebeto sofreu um rosário de lesões, não podia jogar sem se machucar e sem que a culpa lhe pesasse nas pernas, e foi de mal a pior, até que decidiu ir para a Espanha. Algum tempo antes, na Argentina, Roberto Perfumo, durante anos a grande estrela do Racing, se transferiu para o River Plate. Seus torcedores de sempre lhe dedicaram uma das mais longas e estrondosas vaias da história:

– *Percebi então que eles tinham gostado muito de mim* – disse Perfumo.

Saudoso dos velhos tempos da fé, o torcedor tampouco aceita os cálculos de rentabilidade que frequentemente determinam as decisões dos dirigentes, numa época que obriga os times a se transformarem numa fábrica produtora de espetáculos. Quando a fábrica vai mal, os números vermelhos mandam sacrificar o ativo da empresa. Um dos gigantescos supermercados *Carrefour*, de Buenos Aires, levanta-se sobre as ruínas do estádio do San Lorenzo. Quando o estádio foi demolido, em meados de 1983, os torcedores saíram chorando, levando um punhado de terra no bolso.

O time é a única cédula de identidade na qual o torcedor acredita. E em muitos casos, a camisa, o hino e a bandeira encarnam tradições profundas, que se expressam nos campos de futebol mas vêm do fundo da história de uma comunidade. Para os catalães, o Barcelona é "mais que um time": é um símbolo da longa luta pela afirmação nacional contra o centralismo de Madri. Desde 1919, não há estrangeiros nem outros espanhóis nas equipes do Athlétic de Bilbao: o Athlétic, santuário do orgulho basco, só aceita jogadores bascos em suas fileiras, e quase sempre são jogadores surgidos no seu próprio viveiro. Nos anos da ditadura de Franco, os dois estádios, o Camp Nou de Barcelona e o San Mamés de Bilbao, serviram de refúgio aos sentimentos nacionais proibidos. Ali, catalães e bascos gritavam e cantavam em suas línguas e agitavam suas bandeiras clandestinas. E foi num estádio de futebol que pela primeira vez apareceu uma bandeira basca, sem que a polícia espancasse os que a carregavam: um ano depois da morte de Franco, os jogadores do Athlétic e os do Real Sociedad entraram em campo empunhando a bandeira.

A guerra da desintegração da Iugoslávia, que tanto desconcertou o mundo inteiro, ocorreu primeiro nos campos de futebol, e só depois nos campos de batalha. Os antigos rancores entre os sérvios e os croatas subiam à tona cada vez que os clubes de Belgrado e Zagreb se enfrentavam. Então, as torcidas revelavam suas paixões profundas e desenterravam bandeiras e cânticos do passado, como machados de guerra.

Gol de Puskas

Foi em 1961. O Real Madrid enfrentava, em seu campo, o Atlético de Madri.

Assim que começou a partida, Ferenc Puskas fez um gol bis, como Zizinho tinha feito no Mundial de 50.

O atacante húngaro do Real Madrid cobrou uma falta na beira da área, e a bola entrou. Aí, o juiz se aproximou de Puskas, que festejava com os braços para o alto:

– *Sinto muito* – desculpou-se –, *mas eu ainda não tinha apitado.*

E Puskas voltou a chutar. Chutou de esquerda, como antes, e a bola fez exatamente o mesmo percurso: passou feito um tiro de canhão sobre as mesmas cabeças dos mesmos jogadores da barreira e entrou, como o gol anulado, pelo ângulo esquerdo da meta de Madinabeytia, que saltou da mesma forma anterior e não conseguiu, do mesmo jeito que antes, nem encostar nela.

Gol de Sanfilippo

Querido Eduardo:
Te conto que dia desses estive no supermercado "Carrefour", onde antigamente era o campo do San Lorenzo. Fui com José Sanfilippo, o herói da minha infância, que foi goleador do San Lorenzo quatro temporadas seguidas. Caminhamos entre as prateleiras, rodeados de caçarolas, queijos e résteas de linguiça. De repente, quando nos aproximamos das caixas, Sanfilippo abre os braços e me diz: "E pensar que bem daqui meti um gol de bate-pronto no Roma, naquela partida contra o Boca...". Passa diante de uma gorda que arrasta um carrinho cheio de latas, bifes e verduras, e diz: "Foi o gol mais rápido da história".

Concentrado, como esperando um córner, ele me conta: "Eu disse ao número cinco, que estreava: assim que começar a partida, manda a bola para a área. Não se preocupe, que não vou te deixar mal. Eu era mais velho e o rapaz, que se chamava Capdevilla, se assustou, pensou: "Se eu não obedecer, estou frito". E aí, repente, Sanfilippo me mostra a pilha de vidros de maionese e grita: "Ele colocou a bola bem aqui!" As pessoas nos olham, assustadas. "A bola caiu atrás dos zagueiros centrais, atropelei mas ela foi um pouco para lá, ali onde está o arroz, viu só?" – e me mostra a estante de baixo, de repente corre como um coelho apesar do terno azul e dos sapatos lustrosos: "Deixei-a quicar, e plum!". Dispara com a esquerda. Nos viramos, todos, para olhar na direção da caixa, onde há trinta e tantos anos estava o gol, e parece a todos nós que a bola entra por cima, justamente onde estão as pilhas para rádio e as lâminas de barbear. Sanfilippo levanta os braços para festejar. Os fregueses e as caixas quase arrebentam as mãos de tanto aplaudir. Quase comecei a chorar. O Nene Sanfilippo *tinha feito de novo aquele gol de 1962, só para que eu pudesse vê-lo.*

OSVALDO SORIANO

O Mundial de 62

Alguns astrólogos indianos e malaios haviam anunciado o fim do mundo, mas o mundo continuava girando, e entre uma volta e outra nascia uma organização batizada com o nome de Anistia Internacional, e a Argélia dava seus primeiros passos de vida independente, após mais de sete anos de guerra contra a França. Em Israel enforcavam o criminoso nazista Adolf Eichmann, os mineiros de Astúrias entravam em greve, o Papa João queria mudar a Igreja e devolvê-la aos pobres. Eram fabricados os primeiros disquetes para computadores, realizadas as primeiras operações com raios laser, e Marilyn Monroe perdia a vontade de viver.

Qual seria a cotação do voto internacional de um país? O Haiti vendia seu voto em troca de quinze milhões de dólares, uma estrada, uma represa e um hospital, e assim dava à OEA a maioria necessária para expulsar Cuba, ovelha negra do pan-americanismo. Fontes bem-informadas de Miami anunciavam a iminente queda de Fidel Castro, que ia despencar em questão de horas. Setenta e cinco pedidos de proibição foram apresentados nos tribunais norte-americanos contra o romance *Trópico de Câncer*, de Henry Miller, pela primeira vez publicado sem censura. Linus Pauling, que estava a ponto de receber seu segundo prêmio Nobel, caminhava na frente da Casa Branca com um cartaz de protesto contra as explosões nucleares, enquanto Benny Kid Paret, cubano, negro e analfabeto, caía morto, fulminado a murros, no ringue do Madison Square Garden.

Em Memphis, Elvis Presley anunciava sua aposentadoria, depois de vender trezentos milhões de discos, mas se arrependia rapidinho, e em Londres uma empresa de discos, a Decca, negava-se a gravar as canções de uns músicos cabeludos que se chamavam os Beatles. Carpentier publicava *O século das luzes,* Gelman publicava *Gotán,* os militares argentinos derrubavam o presidente Frondizi, morria o pintor brasileiro Cândido Portinari. Apareciam *Primeiras estórias,* de Guimarães Rosa, e os poemas que Vinicius de Moraes escreveu *Para viver um grande amor.* João Gilberto sussurrava o *Samba de uma nota só* no Carnegie Hall, enquanto os jogadores do Brasil aterrissavam no Chile, dispostos a conquistar o sétimo Campeonato Mundial de Futebol contra outros cinco países americanos e dez europeus.

No Mundial de 62, Di Stéfano não teve sorte. Ia jogar na seleção da Espanha, seu país de adoção. Aos 36 anos de idade, era sua última oportunidade. Na véspera da estreia machucou o joelho direito, e não houve jeito. Di Stéfano, a *Flecha Loura,* um dos melhores jogadores da história do futebol, nunca pôde jogar um Mundial. Pelé, outro astro de todos os tempos, não foi muito longe no Mundial do Chile: sofreu logo uma distensão muscular e ficou fora. O outro monstro sagrado do futebol, o russo Yashin, também teve azar: o melhor goleiro do mundo engoliu quatro gols da Colômbia, porque parece que exagerou nos traguinhos que tomava no vestiário.

O Brasil ganhou o torneio. Sem Pelé, e sob a batuta de Didi. Amarildo brilhou no difícil lugar de Pelé; atrás, Djalma Santos foi uma muralha; e na frente, Garrincha delirava e fazia delirar. "De que planeta veio Garrincha?", perguntava o jornal *El Mercurio*, enquanto o Brasil liquidava os donos da casa. Os chilenos tinham derrotado a Itália numa partida que foi uma batalha campal, e também tinham vencido a Suíça e a União Soviética. Serviram-se de espaguete, chocolate e vodca, mas engasgaram com o café: os brasileiros ganharam por 4 a 2.

Na final, o Brasil derrotou a Tchecoslováquia por 3 a 1 e foi, como em 58, campeão invicto. Pela primeira vez, a final de um campeonato mundial pôde ser vista ao vivo pela televisão, em transmissão internacional, embora fosse em preto e branco e chegasse a poucos países.

O Chile conquistou o terceiro lugar, a melhor classificação de sua história, e a Iugoslávia ganhou o quarto posto graças a um pássaro chamado Dragoslav Sekularac, que nenhuma defesa conseguiu segurar.

O campeonato não teve um goleador, mas vários jogadores fizeram quatro gols: os brasileiros Garrincha e Vavá, o chileno Sánchez, o iugoslavo Jerkovic, o húngaro Albert e o soviético Ivanov.

Gol de Charlton

Foi no Mundial de 62. A Inglaterra jogava contra a seleção argentina.

Bobby Charlton armou a jogada do primeiro gol inglês, até que Flowers ficou sozinho na frente do goleiro Roma. Mas o segundo gol foi obra sua, de ponta a ponta. Charlton, dono de toda a esquerda do campo, deixou a defesa argentina mais desintegrada que mosquito depois do tapa, durante a corrida mudou de perna e com a direita fulminou o arqueiro com um tiro cruzado.

Ele era um sobrevivente. Quase todos os jogadores de sua equipe, o Manchester United, tinham ficado presos entre os ferros retorcidos de um avião em chamas. A morte soltou Bobby, para que aquele filho de um operário mineiro pudesse continuar presenteando o povo com a alta nobreza do seu futebol.

A bola obedecia. Ela percorria a cancha seguindo suas instruções e se metia no arco antes mesmo que ele a chutasse.

Yashin

Lev Yashin tapava o arco sem deixar nem um buraquinho. Aquele gigante de longos braços de aranha, sempre vestido de preto, tinha um estilo despojado, uma elegância sóbria que desdenhava a espetaculosidade dos gestos que sobram. Costumava deter disparos fulminantes levantando uma só mão, tenaz que prendia e triturava qualquer projétil, enquanto o corpo permanecia imóvel feito uma rocha. E também sem se mover podia desviar a bola, só com um olhar lançado no ar.

Retirou-se do futebol várias vezes, sempre perseguido pelas aclamações de gratidão, e várias vezes voltou. Como ele, não havia outro. Durante mais de um quarto de século, o goleiro russo agarrou mais de cem pênaltis e salvou sabe-se lá quantos gols feitos. Quando perguntaram a ele qual era o seu segredo, respondeu que a fórmula consistia em fumar um cigarro para acalmar os nervos e tomar uma boa vodca para tonificar os músculos.

Gol de Gento

Foi em 1963. O Real Madrid enfrentava o Pontevedra.

Assim que o juiz deu o apito inicial, houve um gol de Di Stéfano, e logo que começou o segundo tempo, outro de Puskas. A partir de então, a torcida esperou, pendente, o próximo gol, que ia ser o número 2.000 desde que o Real Madrid começara a disputar, em 1928, a Liga Espanhola. Os torcedores do Madri invocavam o gol beijando os dedos em cruz, e os torcedores inimigos o espantavam com os dedos em forma de chifres apontando para o chão.

O jogo virou. O Pontevedra dominava. Mas quando anoiteceu, e pouco faltava para o final, e já se tinha perdido de vista aquele gol tão desejado e tão temido, Amancio cobrou uma falta perigosa: Di Stéfano não pôde alcançar a bola e ela foi parar em Gento, o ponta-esquerda do Real Madrid, que se libertou de dois beques que o encurralavam, disparou e venceu. O estádio veio abaixo.

Francisco Gento, o foragido, tinha sua captura recomendada por todos os times adversários. Às vezes, conseguiam trancá-lo em cárceres de segurança máxima, só que ele sempre se safava.

Seeler

Cara de muito prazer. Não dá para imaginá-lo sem um jarro de espumante cerveja na mão. Nos campos alemães, era sempre o mais baixo e o mais gordo: um hamburguês rechonchudo e pequeno, de andar oscilante, que tinha um pé maior que o outro. Mas Uwe Seeler era uma pulga quando saltava, uma lebre quando corria e um touro quando cabeceava.

Em 1964, este centroavante do Hamburgo foi eleito o melhor jogador alemão. Pertencia ao Hamburgo de corpo e alma.

– Sou um torcedor a mais. O Hamburgo é a minha casa – dizia.

Uwe Seeler desprezou todas as ofertas que teve, muitas e muito suculentas, para jogar nas mais poderosas equipes da Europa.

Participou de quatro campeonatos mundiais. Gritar *Uwe, Uwe* era a melhor maneira de gritar *Alemanha, Alemanha*.

Matthews

Em 1965, aos cinquenta anos de idade, Stanley Matthews ainda provocava graves casos de alucinação no futebol inglês. Os psiquiatras não davam conta de atender as vítimas, que eram normais até o maldito momento em que topavam com aquele avô demoníaco, enlouquecedor de zagueiros.

Os beques o agarravam pela camisa ou pelo calção, aplicavam-lhe chaves de luta livre ou chutes de página policial, mas não conseguiam detê-lo porque nunca conseguiam agarrar suas asas. Matthews era ponta, que em inglês significa *winger*. *Wing* significa asa, e Matthews foi o *winger* que voou mais alto sobre terras inglesas, na lateral do campo.

A rainha Elizabeth, que o nomeou *Sir*, sabia disso muito bem.

O Mundial de 66

Os militares banhavam a Indonésia de sangue – meio milhão de mortos, um milhão, quem sabe? – e o general Suharto iniciava sua longa ditadura assassinando os poucos vermelhos, rosados ou duvidosos que continuavam vivos. Outros militares derrubavam N'Krumah, presidente de Ghana e profeta da unidade africana, enquanto seus colegas da Argentina derrubavam o presidente Illia com um golpe de Estado.

Pela primeira vez na história, uma mulher, Indira Gandhi, governava a Índia. Os estudantes derrubavam a ditadura militar do Equador. A aviação dos Estados Unidos bombardeava Hanói, numa nova ofensiva, mas na opinião pública norte-americana crescia a certeza de que nunca deviam ter entrado no Vietnã, que não deviam ter ficado por lá e que deviam sair o quanto antes.

Truman Capote publicava *A sangue frio*. Aparecia *Cem anos de solidão,* de García Márquez, e *Paradiso*, de Lezama Lima. O padre Camilo Torres caía lutando nas montanhas da Colômbia, Che Guevara cavalgava seu magro Rocinante pelos campos da Bolívia, Mao deflagrava a Revolução Cultural na China. Várias bombas atômicas caíam na costa espanhola de Almería, e embora não explodissem, semeavam pânico. Fontes bem-informadas de Miami anunciavam a queda iminente de Fidel Castro, que ia despencar em questão de horas.

Em Londres, Harold Wilson mascava seu cachimbo e comemorava a vitória nas eleições, as moças andavam de minissaia, Carnaby Street ditava a moda e todo mundo cantarolava as canções dos Beatles, enquanto começava o oitavo Campeonato Mundial de Futebol.

Este foi o último Mundial de Garrincha, e também a despedida do goleiro mexicano Antonio Carbajal, o único jogador que havia disputado o torneio cinco vezes.

Participaram dezesseis equipes: dez europeias, cinco americanas e, coisa rara, a Coreia do Norte. Assombrosamente, a seleção coreana eliminou a Itália com gol de Pak, um dentista da cidade de Pyongyang que jogava futebol nos seus momentos livres. Na seleção italiana jogavam nada menos que Gianni Rivera e Sandro Mazzola. Pier Paolo Pasolini dizia que eles jogavam futebol em boa prosa interrompida por versos fulgurantes, mas o dentista os deixou mudos.

Pela primeira vez a televisão transmitiu todo o campeonato ao vivo, via satélite, e o mundo inteiro pôde ver, ainda em branco e preto, o show dos juízes. No Mundial anterior, os juízes europeus tinham apitado 26 partidas; neste, dirigiram 24 das 32 partidas disputadas. Um juiz alemão deu de presente para a Inglaterra o jogo contra a Argentina, enquanto um juiz inglês dava para a Alemanha de presente a partida contra o Uruguai. O Brasil não teve melhor sorte: Pelé foi impunemente caçado a patadas pela Bulgária e por Portugal, que o tiraram do campeonato.

A rainha Elizabeth assistiu à final. Não gritou gol nenhuma vez, mas aplaudiu discretamente. O Mundial foi definido entre a Inglaterra de Bobby Charlton, homem de temível ímpeto e pontaria, e a Alemanha de Beckenbauer, que recém começava sua carreira e já jogava de cartola, luvas e bengala. Alguém tinha roubado a copa Jules Rimet, mas um cachorro chamado Pickles encontrou-a jogada num jardim de Londres. Assim, o troféu pôde chegar a tempo às mãos do vencedor. A Inglaterra se impôs por 4 a 2. Portugal foi o terceiro, a União Soviética, o quarto. A rainha Elizabeth concedeu título de nobreza a

Alf Ramsey, o técnico da seleção vencedora, e o cachorro Pickles transformou-se em herói nacional.

O Mundial de 66 foi usurpado pelas táticas defensivas. Todas as equipes praticavam a retranca, e deixavam um jogador *vassoura* varrendo a linha final atrás dos zagueiros. No entanto, Eusébio, o artilheiro africano de Portugal, conseguiu atravessar nove vezes essas impenetráveis muralhas nas retaguardas rivais. Atrás dele, na lista de artilheiros, figurou o alemão Haller, com seis gols.

Greaves

Se fosse num filme de cowboy, ele teria sido o pé mais rápido do Oeste. Nos campos de futebol, fez cem gols antes de completar vinte anos, e aos 25, ninguém tinha conseguido inventar um para-raios capaz de agarrá-lo. Mais do que correr, explodia: Jimmy Greaves arrancava tão rápido que os árbitros davam impedimento por engano, porque nunca sabiam de onde vinham seus piques súbitos, nem seus disparos certeiros: viam como ele chegava, mas nunca conseguiam vê-lo partir.

– *Amo tanto os gols* – dizia – *que até dói.*

Greaves não teve sorte no Mundial de 66. Não fez nem um gol, e um ataque de icterícia deixou-o fora da final.

Gol de Beckenbauer

Foi no Mundial de 66. A Alemanha jogava contra a Suíça. Uwe Seeler se lançou ao ataque junto com Franz Beckenbauer, Sancho Pança e Dom Quixote disparados por um gatilho invisível, vai e vem é sua e é minha, e quando a defesa suíça inteira tinha se tornado inútil como orelha de surdo, Beckenbauer encarou o goleiro Elsener, que se lançou para sua esquerda, e definiu a corrida: passou pela direita, chutou e dentro.

Beckenbauer tinha vinte anos e esse foi o seu primeiro gol num campeonato mundial. Depois, participou em mais quatro, como jogador ou como técnico, e nunca ficou abaixo do terceiro lugar. Duas vezes levantou a Copa do mundo: em 74 jogando e em 90 dirigindo. Contra a tendência dominante do futebol de pura força, estilo divisões Panzer, demonstrava que a elegância pode ser mais poderosa que um tanque e a delicadeza, mais penetrante que um obus.

Este imperador de meio de campo nasceu no bairro operário de Munique. Chamado de *Kaiser*, com fidalguia mandava na defesa e no ataque: atrás, não deixava escapar nenhuma bola – nenhuma mosca, nenhum mosquito que quisesse escapar; e quando se lançava para a frente, era um fogo que atravessava o campo.

Eusébio

Nasceu destinado a engraxar sapatos, vender amendoim ou roubar dos distraídos. Quando menino, era chamado de *Ninguém.* Filho de mãe viúva, jogava futebol com seus muitos irmãos nos areais dos subúrbios, do amanhecer até a noite.

Chegou aos gramados das canchas correndo como só pode correr alguém que foge da polícia ou da miséria que morde os calcanhares. E assim, disparando em ziguezague, foi campeão da Europa aos vinte anos. Então, começou a ser chamado de *Pantera*.

No Mundial de 66, suas longas passadas deixaram um varal de adversários no chão e seus gols, feitos de ângulos impossíveis, provocavam ovações que nunca acabavam.

Foi um africano de Moçambique o melhor jogador de toda a história de Portugal. Eusébio: pernas compridas, braços caídos, olhar triste.

A maldição das três traves

Aquele guarda-metas tinha a cara talhada a machado e com marcas de varíola. Suas grandes mãos de dedos retorcidos fechavam a meta com tranca e cadeado, e seus pés disparavam canhonaços. De todos os goleiros brasileiros que vi, Manga é o que mais me ficou na lembrança. Uma vez, em Montevidéu, vi Manga fazer um gol de arco a arco: ele chutou da sua área e a bola entrou na meta contrária sem que nenhum jogador tocasse nela. Estava jogando no time uruguaio Nacional por penitência. Não tivera outro remédio senão sair do Brasil. A seleção brasileira tinha voltado para casa de cabeça baixa, derrotada, com mais desgosto que glória do Mundial de 66, e Manga foi o bode expiatório dessa desgraça nacional. Tinha jogado somente uma partida. Cometeu uma mancada, uma saída em falso, e teve a má sorte de que Portugal fizesse um gol no arco vazio. Aquele mau momento foi suficiente para que os erros dos goleiros passassem a ser chamados, por muito tempo, de *mangueiradas*.

Algo assim tinha acontecido no Mundial de 58, quando o arqueiro Amadeo Carrizo pagou o pato pelo fracasso da seleção argentina. E antes, em 50, quando Moacyr Barbosa foi crucificado por causa da derrota brasileira na final do Maracanã.

No Mundial de 90, Camarões despachou a Colômbia, que acabava de jogar uma partida brilhante contra a Alemanha. O gol decisivo da equipe africana veio de uma saída desastrada do arqueiro René Higuita, que foi até o meio do campo e ali perdeu a bola. As mesmas pessoas que festejavam essas audácias quando davam certo quiseram devorar Higuita logo que ele voltou à Colômbia.

Em 1993, a seleção colombiana, já sem Higuita, esmagou a seleção argentina por 5 a 0, em Buenos Aires. Aquela humilhação exigia a gritos um culpado, e o culpado tinha que ser, como não?, o goleiro. Sergio Goycochea pagou a conta dos pratos quebrados. A seleção argentina estava invicta há mais de trinta partidas, e todos achavam que Goycochea era a grande explicação daquela façanha. Mas depois da goleada da Colômbia, o milagroso agarrador de pênaltis deixou de ser São Goyco, perdeu seu lugar na seleção e muita gente aconselhou o suicídio.

Os anos do Peñarol

Em 1966, os campeões da América e da Europa, Peñarol e Real Madrid, se enfrentaram duas vezes. Sem suar a camisa, brilhando no toque e no jogo vistoso, o Peñarol ganhou as duas partidas por 2 a 0.

Na década de 60, o Peñarol herdou o cetro do Real Madrid, que tinha sido a grande equipe da década anterior. Naqueles anos, o Peñarol ganhou duas vezes a Copa Mundial de clubes e foi três vezes campeão da América.

Quando a primeira esquadra do mundo saía a campo, seus jogadores avisavam os adversários:

– *Trouxeram outra bola para jogar? Porque essa aí é nossa, e de mais ninguém.*

A bola tinha a entrada proibida no arco de Mazurkiewicz, no meio de campo obedecia a *Tito* Gonçalves e na frente voava nos pés de Spencer e Joya. Às ordens de *Pepe* Sasía, rompia a rede. Mas ela se deleitava, principalmente, quando era embalada por Pedro Rocha.

Gol de Rocha

Foi em 1969. O Peñarol jogava contra o Estudiantes de La Plata. Rocha estava no centro do campo, de costas para a área adversária e com dois jogadores em cima, quando recebeu a bola de Matosas. Dominou-a com o pé direito, com a bola no pé se virou, enganchou-a por trás do outro pé e escapou da marcação de Echecopar e Taverna. Deu três passadas, deixou-a para Spencer e continuou correndo. Recebeu a devolução pelo alto, na meia-lua da área. Matou a bola no peito, soltou-se de Madero e de Spadaro e disparou de voleio. O goleiro, Flores, não viu nem nada.

Pedro Rocha deslizava como cobra no pasto. Jogava com prazer, dava prazer: o prazer do jogo, o prazer do gol. Fazia o que queria com a bola, e ela acreditava totalmente nele.

Pobre mãezinha querida

No final dos anos 60, o poeta Jorge Enrique Adoum voltou ao Equador, depois de longa ausência. Nem bem chegou, cumpriu o ritual obrigatório da cidade de Quito: foi ao estádio, ver jogar o time do Aucas. Era uma partida importante, e o estádio estava repleto.

Antes do início, fez-se um minuto de silêncio pela mãe do juiz, morta na véspera. Todos se levantaram, todos calaram. Em seguida, um dirigente pronunciou um discurso destacando a atitude do esportista exemplar que ia apitar a partida, cumprindo com seu dever nas mais tristes circunstâncias. No meio do campo, cabisbaixo, o homem de preto recebeu o denso aplauso do público. Adoum piscou, beliscou um braço: não podia acreditar. Em que país estava? As coisas tinham mudado muito. Antes, as pessoas só se ocupavam do árbitro para gritar *filho da puta*.

E começou a partida. Aos quinze minutos, explodiu o estádio: gol do Aucas. Mas o árbitro anulou o gol, por impedimento, e imediatamente a multidão recordou a finada autora de seus dias:

– *Órfão da puta!* – rugiram as arquibancadas.

As lágrimas não vêm do lenço

O futebol, metáfora da guerra, pode transformar-se, às vezes, em guerra de verdade. E então a *morte súbita* deixa de ser somente o nome de uma dramática maneira de desempatar partidas. Em nosso tempo, o fanatismo do futebol invadiu o lugar que antes estava reservado somente ao fervor religioso, ao ardor patriótico e à paixão política. Como acontece com a religião, com a pátria e com a política, muitos horrores são cometidos em nome do futebol, e muitas tensões explodem por seu intermédio.

Há quem creia que os homens possuídos pelo demônio da bola soltam espuma entre os dentes, e deve-se reconhecer que desta forma retratam bastante bem vários torcedores enlouquecidos; mas até os críticos mais indignados teriam que admitir que, na maioria dos casos, a violência que desemboca no futebol não vem do futebol, assim como as lágrimas não vêm do lenço.

Em 1969, explodiu a guerra entre Honduras e El Salvador, dois países centro-americanos pequenos e muito pobres que há mais de um século vinham acumulando rancores mútuos. Cada um tinha servido sempre de explicação mágica para os problemas do outro. Os hondurenhos não tinham trabalho? Porque os salvadorenhos vinham tirá-lo. Os salvadorenhos passavam fome? Porque os hondurenhos os maltratavam. Cada povo acreditava que seu inimigo era o vizinho, e as incessantes ditaduras militares de um e outro país faziam o possível para perpetuar o equívoco.

Esta guerra foi chamada *guerra do futebol*, porque nos estádios de Tegucigalpa e San Salvador acenderam-se as chispas que desencadearam o incêndio. Durante as eliminatórias para o Mundial de 70, começaram as confusões. Houve brigas, alguns mortos, uns quantos feridos. Na semana seguinte, os dois países romperam relações. Honduras expulsou cem mil camponeses salvadorenhos, que trabalhavam desde sempre nos plantios e colheitas daquele país, e os tanques salvadorenhos atravessaram a fronteira.

A guerra durou uma semana e matou quatro mil pessoas. Os dois governos, ditaduras fabricadas na Escola das Américas, sopravam as fogueiras do ódio mútuo. Em Tegucigalpa, a palavra de ordem era: Hondurenho: *toma um lenho, mata um salvadorenho*. Em San Salvador: *É preciso dar uma lição nesses bárbaros*. Os senhores da terra e da guerra não derramaram uma gota de sangue, enquanto os dois povos descalços, idênticos em sua desdita, vingavam-se ao contrário matando-se entre si com patriótico entusiasmo.

Gol de Pelé

Foi em 1969. O Santos jogava contra o Vasco da Gama no estádio do Maracanã.

Pelé atravessou o campo feito ventania, esquivando-se dos adversários no ar, sem tocar o chão, e quando já se metia no arco com bola e tudo, foi derrubado.

O árbitro apitou pênalti. Pelé não quis cobrá-lo. Cem mil pessoas o obrigaram, gritando seu nome.

Pelé tinha feito muitos gols no Maracanã. Gols prodigiosos, como aquele de 1961, contra o Fluminense, quando tinha driblado sete jogadores e o goleiro também. Mas este pênalti era diferente: as pessoas sentiam que tinha algo de sagrado. E por isso, ficou em silêncio o povo mais alvoroçado do mundo. O clamor da multidão parou de repente, como obedecendo a uma ordem: ninguém falava, ninguém respirava, ninguém estava ali. Subitamente nas arquibancadas não havia ninguém, e no campo tampouco. Pelé e o goleiro, Andrada, estavam sós. Sós, esperavam. Pelé, de pé junto à bola na marca branca do pênalti. Doze passos adiante, Andrada, encolhido, à espreita, entre as traves.

O arqueiro chegou a roçá-la, mas Pelé cravou a bola na rede. Era seu gol número mil. Nenhum outro jogador tinha feito mil gols na história do futebol profissional.

Então a multidão voltou a existir, e pulou como um menino louco de alegria, iluminando a noite.

Pelé

Cem canções falam seu nome. Aos dezessete anos foi campeão do mundo e rei do futebol. Não tinha vinte anos quando o governo do Brasil o declarou *tesouro nacional* e proibiu sua exportação. Ganhou três campeonatos mundiais com a seleção brasileira e dois com o Santos. Depois de seu gol número mil, continuou somando. Jogou mais de mil e trezentas partidas, em oitenta países, uma partida atrás da outra em ritmo de pancadaria, e fez quase mil e trezentos gols. Uma vez, deteve uma guerra: a Nigéria e Biafra fizeram uma trégua para vê-lo jogar.

Vê-lo jogar bem valia uma trégua e muito mais. Quando Pelé ia correndo, passava através dos adversários como um punhal. Quando parava, os adversários se perdiam nos labirintos que suas pernas desenhavam. Quando saltava, subia no ar como se o ar fosse uma escada. Quando cobrava uma falta, os adversários que formavam a barreira queriam ficar de costas, de cara para a meta, para não perder o golaço.

Tinha nascido em casa pobre, num povoado remoto, e chegou ao cume do poder e da fortuna, onde os negros têm a entrada proibida. Fora das canchas, nunca doou um minuto de seu tempo e jamais uma moeda caiu de seu bolso. Mas os que tivemos a sorte de vê-lo jogar, recebemos dele oferendas de rara beleza: momentos desses tão dignos de imortalidade que a gente pode acreditar que a imortalidade existe.

O Mundial de 70

Em Praga morria Jiri Trnka, mestre do cinema de marionetes, e em Londres morria Bertrand Russell, depois de quase um século de vida muito viva. Aos vinte anos de idade, o poeta Leonel Rugama caía em Manágua, lutando sozinho contra um batalhão da ditadura de Somoza. O mundo perdia sua música: desintegravam-se os Beatles, por overdose de sucesso, e por overdose de drogas perdíamos o guitarrista Jimi Hendrix e a cantora Janis Joplin.

Um ciclone arrasava o Paquistão e um terremoto acabava com quinze cidades nos Andes peruanos. Em Washington, ninguém mais acreditava na guerra do Vietnã, mas a guerra continuava, os mortos já chegavam a um milhão, e os generais do Pentágono fugiam para a frente, invadindo o Camboja. Allende iniciava sua campanha para a presidência do Chile, depois de três derrotas, e prometia dar leite a todas as crianças e nacionalizar o cobre. Fontes bem-informadas de Miami anunciavam a queda iminente de Fidel Castro, que ia despencar em questão de horas. Começava a primeira greve na história do Vaticano, em Roma cruzavam os braços os funcionários do Santo Padre, enquanto no México moviam as pernas os jogadores de dezesseis países e começava o nono Campeonato Mundial de Futebol.

Participaram nove equipes europeias, cinco americanas, Israel e Marrocos. Na partida inaugural, o juiz levantou pela primeira vez um cartão amarelo. O cartão amarelo, sinal de advertência, e o cartão vermelho, sinal de expulsão, não foram as únicas novidades do Mundial do México. O regulamento autorizou substituir dois jogadores durante cada partida. Até então, somente o goleiro podia ser substituído, em caso de lesão; e não era muito difícil reduzir a pontapés o elenco adversário.

Imagens da Copa de 70: a figura de Beckenbauer, com um braço imobilizado, lutando até o último minuto; o fervor de Tostão, recém-operado de um olho e aguentando firme em todas as partidas; os voos livres de Pelé em seu último Mundial: "Saltamos juntos", contou Burgnich, o beque italiano que o marcava, "mas quando voltei à terra, vi que Pelé se mantinha suspenso no alto".

Quatro campeões do mundo – Brasil, Itália, Alemanha e Uruguai – disputaram as semifinais. A Alemanha ocupou o terceiro lugar, o Uruguai o quarto. Na final, o Brasil esmagou a Itália por 4 a 1. A imprensa inglesa comentou: "Deveria ser proibido um futebol tão belo". O último gol deve ser lembrado de pé: a bola passou por todo o Brasil, foi tocada pelos onze, e finalmente Pelé a entregou de bandeja, sem olhar, para que Carlos Alberto, que vinha como um tufão, arrematasse.

O Torpedo Müller, da Alemanha, encabeçou o quadro de artilheiros, com dez tentos, seguido do brasileiro Jairzinho, com sete.

Campeão invicto pela terceira vez, o Brasil ficou com a propriedade da taça Jules Rimet. No final de 1983, a copa foi roubada e vendida, depois de ser reduzida a quase dois quilos de ouro puro. Uma cópia ocupa seu lugar nas vitrines.

Gol de Jairzinho

Foi no Mundial de 70. O Brasil enfrentava a Inglaterra. Tostão recebeu a bola de Paulo César e avançou até onde pôde. Encontrou a Inglaterra inteira recuada na área. Até a rainha estava lá. Tostão fintou um, outro e mais outro, e passou a bola a Pelé. Outros três jogadores o abafaram no ato. Pelé simulou que seguia viagem e os três adversários se atiraram na fumaça, mas ele apertou o freio, girou e deixou a bola nos pés de Jairzinho, que vinha por ali. Jairzinho tinha aprendido a escapar da marcação quando ganhava a vida no subúrbio mais duro do Rio de Janeiro: saiu disparado como uma bala negra, driblou um inglês e a bola, bala branca, atravessou a meta do arqueiro Banks.

Foi o gol da vitória. Em ritmo de festa, o ataque brasileiro tinha se livrado de sete guardiões. E a cidadela de aço tinha sido derretida por aquele vento quente que vinha do sul.

A festa

Há alguns povoados e vilarejos do Brasil que não têm igreja, mas não existe nenhum sem campo de futebol. O domingo é o dia em que os cardiologistas de todo o país trabalham mais. Num domingo normal, qualquer um pode morrer de emoção enquanto se celebra a missa da bola. Num domingo sem futebol, qualquer um morre de aborrecimento.

Quando a seleção do Brasil naufragou no Mundial de 66, houve suicídios, ataques de nervos, bandeiras pátrias a meio pau e tarjas negras nas portas e uma procissão errante de enlutados cobriu as ruas e enterrou o futebol nacional com caixão e tudo. Quatro anos depois, o Brasil ganhou pela terceira vez o campeonato mundial. Então Nelson Rodrigues escreveu que os brasileiros deixaram de ter medo de serem levados pela carrocinha, e foram todos reis com manto de arminho e a coroa erguida.

No Mundial de 70, o Brasil jogou um futebol digno do gosto pela festa e da vontade de beleza de sua gente. Já se impusera no mundo a mediocridade do futebol defensivo, com o time inteiro atrás, armando a retranca, e lá na frente um ou dois homens jogando na maior solidão; já tinham sido proibidos o risco e a espontaneidade criadora. E aquele Brasil foi um assombro: apresentou uma seleção lançada na ofensiva, que jogava com quatro atacantes, Jairzinho, Tostão, Pelé e Rivelino, que às vezes eram cinco e até seis, quando Gérson e Carlos Alberto chegavam de trás. Na final, esse trator pulverizou a Itália.

Um quarto de século depois, semelhante audácia seria considerada um suicídio. No Mundial de 94, o Brasil ganhou outra final contra a Itália. Ganhou na cobrança de pênaltis, depois de cento e vinte minutos sem gols. Não fosse pelos pênaltis, as metas teriam continuado invictas por toda a eternidade.

Os generais e o futebol

Em pleno carnaval da vitória de 70, o general Médici, ditador do Brasil, presenteou com dinheiro os jogadores, posou para os fotógrafos com o troféu nas mãos e até cabeceou uma bola na frente das câmaras. A marcha composta para a seleção, *Pra frente Brasil,* transformou-se na música oficial do governo, enquanto a imagem de Pelé voando sobre a grama ilustrava, na televisão, anúncios que proclamavam: *Ninguém segura o Brasil.* Quando a Argentina ganhou o Mundial de 78, o general Videla utilizou, com idênticos propósitos, a imagem de Kempes irresistível como um furacão.

O futebol é a pátria, o poder é o futebol: *Eu sou a pátria,* diziam essas ditaduras militares.

Enquanto isso, o general Pinochet, mandachuva do Chile, fez-se presidente do Colo-Colo, time mais popular do país, e o general García Mesa, que havia se apoderado da Bolívia, fez-se presidente do Wilstermann, um time com torcida numerosa e fervorosa.

O futebol é o povo, o poder é o futebol: *Eu sou o povo,* diziam essas ditaduras militares.

Num piscar de olhos

Eduardo Andrés Maglioni, atacante do time argentino Independiente, ganhou um lugar no Guinness dos recordes mundiais. Foi o jogador que fez mais gols em menos tempo.

Em 1973, no começo do segundo tempo da partida entre o Independiente e o Gimnasia y Esgrima de La Plata, Maglioni venceu três vezes o goleiro Guruciaga em um minuto e cinquenta segundos.

Gol de Maradona

Foi em 1973. Jogavam as equipes infantis de Argentinos Juniors e River Plate, em Buenos Aires.

O número 10 do Argentinos recebeu a bola de seu goleiro, evitou o beque central do River e começou a corrida. Vários jogadores foram ao seu encontro: passou a bola por fora de um deles, entre as pernas de outro, e enganou mais um de calcanhar. Depois, sem parar, deixou paralisados os zagueiros e botou o goleiro caído no chão, e se meteu caminhando com a bola na meta rival. No campo tinham ficado sete meninos fritos e quatro que não conseguiam fechar a boca.

Aquela equipe de garotinhos, os *Cebollitas,* estava invicta há cem partidas e tinha chamado a atenção dos jornalistas. Um dos jogadores, *Veneno*, que tinha treze anos, declarou:

– *Jogamos para nos divertir. Nunca vamos jogar por dinheiro. Quando entra dinheiro, todos se matam para ser estrelas, e então chega a hora da inveja e do egoísmo.*

Falou abraçado ao jogador mais querido de todos, que também era o mais alegre e o mais baixinho: Diego Armando Maradona, que tinha doze anos e acabava de fazer aquele gol incrível.

Maradona tinha o costume de pôr a língua de fora quando estava em pleno impulso. Todos os seus gols tinham sido feitos com a língua de fora. De noite dormia abraçado com a bola e de dia fazia prodígios com ela. Vivia numa casa pobre de um bairro pobre e queria ser técnico industrial.

O Mundial de 74

O presidente Nixon estava contra as cordas, joelhos bambos, apanhando sem parar por causa do escândalo de espionagem no edifício Watergate, enquanto uma sonda espacial viajava para Júpiter, e em Washington era declarado inocente o tenente do exército que tinha assassinado cem civis no Vietnã, pois afinal de contas tinham sido só cem, e civis, e vietnamitas.

Morriam os romancistas Miguel Ángel Asturias e Pär Lakgervist e o pintor David Alfaro Siqueiros. Agonizava o general Perón, que tinha marcado com fogo a história argentina. Morria Duke Elllington, rei do jazz. A filha do rei da imprensa, Patricia Hearst, apaixonava-se por seus sequestradores, denunciava que seu pai era um porco burguês, e desandava a assaltar bancos. Fontes bem-informadas de Miami anunciavam a queda iminente de Fidel Castro, que ia despencar em questão de horas.

Na Grécia caía a ditadura, e caía a ditadura em Portugal, onde no ritmo da canção *Grandola, Vila Morena,* se desencadeava a Revolução dos Cravos. A ditadura de Augusto Pinochet se firmava no Chile, e na Espanha Francisco Franco era internado no hospital Francisco Franco, doente do poder e dos anos.

Num plebiscito histórico, os italianos votavam pelo divórcio, que lhes pareceu preferível à adaga, o veneno e os demais métodos que a tradição recomendava para resolver as disputas conjugais. Numa votação não menos histórica, os dirigentes do futebol mundial elegiam João Havelange presidente da FIFA, e enquanto Havelange desalojava na Suíça o respeitado Stanley Rous, na Alemanha começava o décimo Campeonato Mundial de Futebol.

Estreava-se nova taça. Era mais feia que a Jules Rimet, mas cobiçada por nove seleções europeias, cinco americanas e também a Austrália e o Zaire. A União Soviética tinha ficado de fora nas eliminatórias. Durante as partidas de classificação para o Mundial, os soviéticos tinham se negado a jogar no Estádio Nacional do Chile, que pouco antes tinha sido campo de concentração e pátio de fuzilamentos. Então a seleção chilena disputou, nesse estádio, a partida mais patética da história do futebol: jogou contra ninguém, e no arco vazio meteu vários gols que foram ovacionados pelo público. Depois, no Mundial, o Chile não ganhou nenhuma partida.

Surpresa: os jogadores holandeses viajaram para a Alemanha acompanhados por suas esposas, noivas ou amigas, e com elas se concentraram. Era a primeira vez que semelhante coisa acontecia. E mais surpresa: os holandeses tinham pés alados e chegaram invictos à final, com catorze gols e só um contra, feito por um deles mesmos por puro azar. O Mundial de 74 girou em torno da *Laranja Mecânica*, invenção fulminante de Cruyff, Neeskens, Rensenbrink, Krol e outros incansáveis jogadores impelidos pelo técnico Rinus Michels.

No começo da última partida, Cruyff trocou flâmulas com Beckenbauer. E ocorreu a terceira surpresa: o Kaiser e os seus estragaram a festa holandesa. Maier, que segurava tudo, Müller, que metia tudo, e Breitner, que resolvia tudo, ocuparam-se em lançar os baldes de água fria sobre a equipe favorita, e contra todos os prognósticos os alemães ganharam por 2 a 1. Repetia-se, assim, a história de 54 na Suíça, quando a Alemanha venceu a invencível Hungria.

Atrás da Alemanha Federal e da Holanda, ficou a Polônia. Em quarto lugar, o Brasil, que não pôde ser o que tinha sido. Um jogador polonês, Lato, foi o artilheiro da Copa, com sete tentos, seguido por outro polonês, Szarmach, e pelo holandês Neeskens, ambos com cinco.

Cruyff

A seleção holandesa era chamada de *Laranja Mecânica,* mas nada tinha de mecânico aquela obra da imaginação, que desconcertava todo mundo com suas mudanças incessantes. Como *A Máquina* do River, também caluniada pelo nome, aquele fogo laranja ia e vinha, impelido por um vento sábio que o trazia e o levava: todos atacavam e todos defendiam, espalhando-se e unindo-se vertiginosamente em leque, e o adversário perdia as pistas diante de uma equipe onde cada um era onze.

Um jornalista brasileiro chamou-a de *desorganização organizada.* A Holanda tinha música, e o que regia a melodia de tantos sons simultâneos, evitando a bagunça e o desafino, era Johann Cruyff. Maestro da orquestra e músico, Cruyff trabalhava mais do que todos.

Aquele magrinho elétrico tinha entrado para o Ajax quando era menino: enquanto sua mãe servia na cantina do clube, ele recolhia as bolas que iam para fora, limpava as chuteiras dos jogadores, colocava as bandeirinhas nos cantos dos campos e fazia tudo o que lhe pedissem e nada do que lhe mandassem. Queria jogar e não deixavam, por seu físico demasiado frágil e seu caráter demasiado forte. Quando deixaram entrar, ele ficou. E ainda garoto estreou na seleção holandesa, jogou estupendamente, marcou um gol e com um murro fez o árbitro desmaiar.

Depois continuou sendo esquentado, trabalhador e talentoso. Durante duas décadas ganhou 22 campeonatos, na Holanda e na Espanha. Parou aos 37 anos, quando acabava de fazer seu último gol, nos braços da multidão que o acompanhou do estádio até sua casa.

Müller

O técnico do TSV, de Munique, tinha dito a ele:
– *No futebol você não chegará muito longe. Melhor se dedicar a outra coisa.*
Nessa época, Gerd Müller trabalhava doze horas por dia numa fábrica têxtil.

Onze anos depois, em 1974, este jogador atarracado e de pernas curtas foi campeão do mundo. Ninguém fez mais gols do que ele na história da Liga alemã e da seleção nacional.

Não se via no campo o lobo feroz. Disfarçado de avozinha, ocultos os caninos e as unhas, passeava dando passes inocentes e outras obras de caridade. Enquanto isso, sem que ninguém percebesse, deslizava para a área. Diante da meta aberta, lambia os lábios: a rede era a renda de noiva de uma menina irresistível. E então, revelando-se de repente, dava a mordida.

Havelange

Em 1974, depois de subir muito, Jean-Marie Faustin de Godefroid Havelange conquistou a cúpula da FIFA. E anunciou.
– *Vim vender um produto chamado futebol.*
Desde então, Havelange exerce o poder absoluto sobre o futebol mundial. Com o corpo grudado no trono, rodeado por uma corte de vorazes tecnocratas, Havelange reina em seu palácio de Zurique. Governa mais países

que as Nações Unidas, viaja mais do que o Papa e tem mais condecorações que qualquer herói de guerra.

Havelange nasceu no Brasil, onde é dono da *Cometa,* uma das principais empresas de transporte rodoviário interurbano, e de outros negócios especializados na especulação financeira e na venda de armas e seguros de vida. Mas suas opiniões são muito pouco brasileiras. Um jornalista inglês, do *Times* de Londres, lhe perguntou:

– O que lhe dá mais prazer no futebol: a glória? A beleza? A vitória? A poesia?

E ele respondeu:

– A disciplina.

Este idoso monarca mudou a geografia do futebol e transformou-o num dos mais esplêndidos negócios multinacionais. Em seu mandato, dobrou a quantidade de países nos campeonatos mundiais: eram dezesseis em 1974, serão 38 em 1998. E pelo que se pode adivinhar através da neblina dos balanços, os lucros que esses torneios rendem multiplicaram-se tão prodigiosamente que aquele famoso milagre bíblico, o dos pães e os peixes, parece piada.

Os novos protagonistas do futebol mundial, países da África, Oriente Médio e Ásia, dão a Havelange uma ampla base de apoio, mas seu poder se nutre, sobretudo, da associação com algumas empresas gigantescas, como a Coca-Cola e a Adidas. Foi Havelange quem conseguiu que a Adidas financiasse a candidatura de seu amigo Juan Antonio Samaranch à presidência do Comitê Olímpico Internacional. Samaranch, que durante a ditadura de

Franco soube ser homem de camisa azul e braço estendido, é desde 1980 o outro rei do esporte mundial. Ambos manejam enormes somas de dinheiro. Quanto, não se sabe. Eles são muito recatados em relação a isso.

Os donos da bola

A FIFA, que tem trono e corte em Zurique, o Comitê Olímpico Internacional, que reina de Lausanne, e a empresa ISL Marketing, que tece seus negócios em Lucerna, manejam os campeonatos mundiais de futebol e as olimpíadas. Como se vê, as três poderosas organizações têm sua sede na Suíça, um país que ficou famoso pela pontaria de Guilherme Tell, a precisão de seus relógios e sua religiosa devoção ao sigilo bancário. Casualmente, as três têm um extraordinário sentido do pudor em tudo o que se refere ao dinheiro que passa por suas mãos e ao que fica em suas mãos.

A ISL Marketing possui, pelo menos até o final do século, os direitos exclusivos da venda da publicidade nos estádios, os filmes e videocassetes, as insígnias, flâmulas e mascotes das competições internacionais. Este negócio pertence aos herdeiros de Adolph Dassler, o fundador da empresa Adidas, irmão e inimigo do fundador da concorrente Puma. Quando outorgaram o monopólio desses direitos à família Dassler, Havelange e Samaranch estavam exercendo o nobre dever da gratidão. A empresa Adidas, a maior fabricante de artigos esportivos do mundo, tinha contribuído muito generosamente para construir o poder dos dois. Em 1990, os Dassler venderam a Adidas ao empresário francês Bernard Tapie, mas ficaram com a ISL, que a família continua controlando em sociedade com a agência publicitária japonesa Dentsu.

O poder sobre o esporte mundial não é coisa à toa. No final de 1994, falando em Nova York para um círculo de homens de negócios, Havelange confessou alguns números, o que nele não é nada frequente:

— *Posso afirmar que o movimento financeiro do futebol no mundo alcança, anualmente, a soma de 225 bilhões de dólares.*

E se vangloriou, comparando essa fortuna com os 136 bilhões de dólares faturados em 1993 pela General Motors, que encabeça a lista das maiores corporações multinacionais.

Nesse mesmo discurso, Havelange advertiu que "o futebol é um produto comercial que deve ser vendido o mais sabiamente possível", e lembrou a primeira lei da sabedoria no mundo contemporâneo:

— *É preciso tomar muito cuidado com a embalagem.*

A venda dos direitos para a televisão é o veio que mais rende, dentro da pródiga mina das competições internacionais, e a FIFA e o Comitê Olímpico Internacional recebem a parte do leão do que a telinha paga. O dinheiro multiplicou-se espetacularmente desde que a televisão começou a transmitir os torneios mundiais ao vivo para todos os países. As Olimpíadas de Barcelona receberam da televisão, em 1993, 630 vezes mais dinheiro que as Olimpíadas de Roma em 1960, quando a transmissão só chegava ao âmbito nacional.

E na hora de decidir quais serão as empresas anunciantes de cada torneio, tanto Havelange e Samaranch como a família Dassler são claros: é preciso escolher quem paga mais. A máquina que transforma toda paixão em dinheiro não pode se dar ao luxo de promover os produtos mais sadios e mais aconselháveis para a vida esportiva: pura e simplesmente se põe sempre a serviço da melhor oferta, e só lhe interessa saber se o Mastercard paga melhor ou pior do que o Visa e se a Fujifilm põe ou não põe sobre a mesa mais dinheiro que a Kodak. A Coca-Cola, nutritivo elixir que não pode faltar no corpo de nenhum atleta, encabeça sempre a lista. Suas virtudes milionárias a deixam fora de qualquer discussão.

Neste futebol de fim de século, tão pendente do *marketing* e dos *sponsors*, nada tem de surpreendente que alguns dos times mais importantes da Europa sejam empresas que pertencem a outras empresas. O Juventus, de Turim, faz parte, como a Fiat, do grupo Agnelli. O Milan integra a constelação de trezentas empresas do grupo Berlusconi. O Parma é da Parmalat. O Sampdoria, do grupo petroleiro Mantovani. O Fiorentina, do produtor de cinema Cecchi Gori. O Olympique de Marselha foi lançado ao primeiro plano do futebol europeu quando se transformou numa das empresas de Bernard Tapie, até que um escândalo provocado por um suborno arruinou o empresário de êxito. O Paris Saint-Germain pertence ao Canal Plus da Televisão. A Peugeot, *sponsor* do Sochaux, é também dona de seu estádio. A Philips é a dona do time holandês PSV Eindhoven. Se chamam Bayer os dois clubes da primeira divisão alemã que a empresa financia: o Bayer Leverkusen e o Bayer Uerdingen. O inventor e dono dos computadores Astrad é também proprietário do time britânico Tottenham Hotspur, cujas ações são cotadas na bolsa, e o Blackburn Rover pertence ao grupo Walker. No Japão, onde o futebol profissional tem pouco tempo de vida, as principais empresas fundaram times e contrataram astros internacionais, a partir da certeza de que o futebol é um idioma universal que pode contribuir para a projeção de seus negócios no mundo inteiro. A empresa elétrica Furukawa fundou o Jeff United de Ichihara e contratou o astro alemão Pierre Littbarski e os tchecos Frantisek e Pavel. A Toyota criou o Grampus de Nagoya, que contou em suas fileiras com o artilheiro inglês Gary Lineker. O veterano mas sempre brilhante Zico jogou no Kashima, que pertence ao grupo industrial e financeiro Sumitomo. As empresas Mazda, Mitsubishi, Nissan, Panasonic e Japan Airlines também têm seus próprios times de futebol.

O time pode perder dinheiro, mas este detalhe carece de importância se propicia boa imagem à constelação de negócios que integra. Por isso, a propriedade não é secreta: o futebol serve à publicidade das empresas e no mundo não existe um instrumento de maior alcance popular para as relações públicas. Quando Silvio Berlusconi comprou o Milan, que estava em bancarrota, iniciou sua nova era desenvolvendo toda a coreografia de um grande lançamento publicitário. Numa tarde de 1987, os onze jogadores do Milan desceram lentamente de um helicóptero no centro do estádio, enquanto nos alto-falantes cavalgavam as Walkirias de Wagner. Bernard Tapie, outro especialista em seu próprio protagonismo, costumava celebrar as vitórias do Olympique com grandes festas, fulgurantes de fogos artificiais e raios laser, onde trepidavam as melhores bandas de rock.

O futebol, fonte de emoções populares, gera fama e poder. Os clubes que têm certa autonomia, e que não dependem diretamente de outras empresas, são habitualmente dirigidos por opacos homens de negócios e políticos de segunda que utilizam o futebol como uma catapulta de prestígio para lançar-se ao primeiro plano da popularidade. Há, também, raros casos inversos: homens que põem sua bem merecida fama a serviço do futebol, como o cantor inglês Elton John, que foi presidente do Watford, o time de seus amores, ou o diretor de cinema Francisco Lombardi, que preside o Sporting Cristal do Peru.

Jesus

Em meados de 1969, foi inaugurado um grande salão de festas, para casamentos, batismos e convenções, na serra espanhola de Guadarrama. Em pleno banquete de inauguração, ruiu o piso, caiu o teto e os convidados ficaram sepultados sob os escombros. Houve 52 mortos. O prédio tinha sido construído com recursos do Estado, mas sem licença oficial, nem projeto registrado, nem arquiteto responsável.

O proprietário e construtor do efêmero edifício, Jesus Gil y Gil, foi preso. Passou na cadeia dois anos e três meses, quinze dias por cada morto, até ser indultado pelo generalíssimo Franco. Nem bem saiu da prisão, Jesus voltou a seus negócios e continuou servindo ao progresso da pátria no ramo da construção.

Algum tempo depois, este empresário se tornou dono de um time de futebol, o Atlético de Madri. Graças ao futebol, que o transformou em personagem da televisão e lhe deu popularidade, Jesus pôde abrir caminho para sua carreira política. Em 1991, foi eleito prefeito de Marbella, com a maior votação da Espanha. Em sua campanha eleitoral, prometeu que limparia de ladrões, bêbedos e drogadas este centro turístico consagrado à sã diversão de xeiques árabes e mafiosos internacionais especializados no tráfico de armas e de drogas.

O Atlético de Madri continua sendo a base de seu poder e de seu prestígio, embora a equipe perca com demasiada frequência. Os técnicos não duram mais que um par de semanas. Jesus Gil y Gil discute o assunto com seu cavalo Imperioso, um corcel alvo e bom reprodutor:

– *Imperioso, perdemos.*
– Eu sei, Gil.
– Quem tem a culpa?
– Não sei, Gil.
– *Você sabe, Imperioso. A culpa é do técnico.*
– Então, demita-o.

O Mundial de 78

Na Alemanha morria o popular besouro da Volkswagen, na Inglaterra nascia o primeiro bebê de proveta, na Itália se legalizava o aborto. Sucumbiam as primeiras vítimas da Aids, uma maldição que ainda não tinha nome. As Brigadas Vermelhas assassinavam Aldo Moro, os Estados Unidos se comprometiam a devolver ao Panamá o canal usurpado no princípio do século. Fontes bem-informadas de Miami anunciavam a queda iminente de Fidel Castro, que ia despencar em questão de horas. Na Nicarágua cambaleava a dinastia de Somoza, no Irã cambaleava a dinastia do Xá, os militares da Guatemala metralhavam uma multidão de camponeses no povoado de Panzós. Domitila Barrios e outras quatro mulheres das minas de estanho iniciavam uma greve de fome contra a ditadura militar da Bolívia, em um momento a Bolívia inteira estava em greve de fome e a ditadura caía. A ditadura militar argentina, por outro lado, gozava de boa saúde, e para prová-la organizava o décimo primeiro Campeonato Mundial de Futebol.

Participaram dez países europeus, quatro americanos, Irã e Tunísia. O Papa enviou sua bênção de Roma. Ao som de uma marcha militar, o general Videla condecorou Havelange na cerimônia da inauguração, celebrada no Estádio Monumental de Buenos Aires. A poucos passos dali, estava em pleno funcionamento o Auschwitz argentino, o centro de tortura e extermínio da Escola Mecânica da Armada. E alguns quilômetros além, os aviões lançavam prisioneiros vivos para o fundo do mar.

"Finalmente o mundo pôde ver a verdadeira imagem da Argentina", celebrou o presidente da FIFA perante as câmaras da televisão. Henry Kissinger, convidado especial, anunciou:

– *Este país tem um grande futuro em todos os níveis.*

E o capitão da equipe alemã, Berti Vogts, que deu o chute inicial, declarou dias depois:

– *A Argentina é um país onde reina a ordem. Não vi nenhum preso político.*

Os donos da casa venceram algumas partidas, mas perderam para a Itália e empataram com o Brasil. Para chegar à final contra a Holanda, deviam afogar o Peru numa chuva de gols. A Argentina obteve com vantagens o resultado de que necessitava, mas a goleada, 6 a 0, encheu de dúvidas os malpensantes, e os bem-pensantes também. Os peruanos foram apedrejados ao voltar a Lima.

A final entre a Argentina e a Holanda se definiu na prorrogação. Os argentinos ganharam por 3 a 1, e em certa medida a vitória foi possível graças ao patriotismo da trave que salvou o arco argentino no último minuto do tempo regulamentar. Essa trave, que deteve uma bomba de Rensenbrink, nunca foi objeto de honras militares, por essas coisas da ingratidão humana. De todo modo, mais decisivos que a trave foram os gols de Mario Kempes, um potro incontido que brilhou galopando, cabeleira ao vento, sobre a grama nevada de papeizinhos.

Na hora de receber os troféus, os jogadores holandeses se negaram a cumprimentar os chefes da ditadura argentina. O terceiro lugar foi do Brasil. O quarto, da Itália.

Kempes foi o melhor jogador da Copa e também o artilheiro, com seis gols. Atrás ficaram o peruano Cubillas e o holandês Rensenbrink, com cinco gols cada um.

A felicidade

Cinco mil jornalistas de todo o mundo, um faustoso centro de imprensa e televisão, estádios impecáveis, aeroportos novos, um modelo de eficiência. Os jornalistas alemães mais veteranos confessaram que o Mundial de 78 lhes recordava as Olimpíadas de 36, que Hitler tinha celebrado, com toda pompa, em Berlim.

O balanço virou segredo de Estado. Houve muitos milhões de gastos e de perdas, quem sabe quantos?, nunca se soube, para que se difundissem pelos quatro pontos cardeais os sorrisos de um país feliz sob tutela militar. Enquanto isso, os altos chefes que organizavam o Mundial continuavam aplicando, pela guerra ou pelas dúvidas, seu plano de extermínio. A *solução final*, como diziam eles, assassinou sem deixar rastros muitos milhares de argentinos, ninguém sabe quantos, nunca se soube: quem tentava averiguá-lo, a terra tragava. A curiosidade era, como a discordância, como a dúvida, prova plena de subversão. O presidente da Sociedade Rural Argentina, Celedonio Pereda, proclamou que graças ao futebol "acabará a difamação que os argentinos desnaturados fazem circular nos meios de informação do Ocidente, utilizando para isto o produto de seus assaltos e sequestros". Não se podia sequer criticar os jogadores, nem o técnico. A seleção argentina sofreu alguns tropeços ao longo do campeonato, mas foi obrigatoriamente aplaudida pelos comentaristas locais.

Para maquiar sua imagem internacional, a ditadura pagou meio milhão de dólares a uma empresa especializada, norte-americana. O relatório dos *experts* da Burson-Masteller se intitulava: *O que vale para os produtos, vale para os países*. O almirante Carlos Alberto Lacoste, homem forte do Mundial, explicava numa entrevista:

– *Se vou à Europa ou aos Estados Unidos, o que me impressiona mais? As grandes obras, os grandes aeroportos, os carros formidáveis, as confeitarias de luxo...*

O almirante, exímio ilusionista na evaporação de dólares e na fabricação de fortunas súbitas, apoderou-se do Mundial a partir do misterioso assassinato de outro militar encarregado da tarefa. Lacoste administrou sem controle imensas somas de dinheiro e ao que parece ficou, por distração, com alguns trocos. O próprio secretário da

Fazenda da ditadura, Juan Alemann, questionou aquele desperdício de fundos públicos e formulou algumas perguntas inconvenientes. O almirante tinha o costume de avisar:

– *Depois não se queixem se uma bomba explode...*

E uma bomba explodiu na casa de Alemann, no exato momento em que os argentinos gritavam o quarto gol da partida contra o Peru.

No fim do Mundial, como recompensa por seus desvelos, o almirante Lacoste foi nomeado vice-presidente da FIFA.

Gol de Gemmill

Foi no Mundial de 78. A Holanda, que vinha bem, jogava contra a Escócia, que vinha mal.

O jogador escocês Archibald Gemmill recebeu a bola de seu compatriota Hartford e teve a gentileza de convidar os holandeses a dançar ao som de um solo de gaita.

Wildschut foi o primeiro a cair, tonto, aos pés de Gemmill. Depois, ele deixou para trás Suurbier, que ficou tropeçando. Com Krol, foi pior: Gemmill passou-lhe a bola entre as pernas. E quando o goleiro Jongbloed veio em cima dele, o escocês aplicou-lhe um chapéu.

Gol de Bettega

Foi no Mundial de 78. A Itália venceu por 1 a 0 a seleção dona da casa.

A jogada do gol italiano desenhou no campo um triângulo perfeito, dentro do qual a defesa argentina ficou mais perdida que cego em tiroteio. Antognoni deslizou a bola a Bettega, que a empurrou para Rossi, que estava de costas, e Rossi devolveu-a de calcanhar enquanto Bettega se infiltrava na área. Bettega passou por dois jogadores e venceu com uma bomba de esquerda o goleiro Fillol.

Embora ninguém soubesse, a equipe italiana já tinha começado a ganhar o Mundial de quatro anos mais tarde.

Gol de Sunderland

Foi em 1979. No estádio de Wembley, Arsenal e Manchester United disputavam a final da Copa inglesa.

Uma boa partida, mas nada permitia suspeitar que de repente aquela ia se transformar na mais elétrica final de todas, desde 1871, na longa história da Copa. Estava ganhando o Arsenal, por 2 a 0, e faltava pouco para terminar. A partida estava liquidada e as pessoas já abandonavam o estádio. E subitamente se descarregou uma tormenta de gols. Três gols em dois minutos: um arremate certeiro de McQueen e uma linda penetração de McIlroy, que enganou dois beques e também o goleiro, deram o empate ao Manchester entre o minuto 86 e o 87, e antes que terminasse o minuto 88, o Arsenal recuperou a vitória.

Alan Brady, que foi, como de hábito, a grande figura da partida, armou a jogada do 3 a 2 definitivo, e Alan Sunderland terminou-a com um chute limpo.

O Mundial de 82

Mefisto, de István Szabó, uma obra-prima sobre a arte e a traição, ganhava o Oscar de Hollywood, enquanto na Alemanha se apagava cedo a vida de Fassbinder, um criador de cinema de tormento e talento. Romy Schneider se suicidava, Sofia Loren era presa por sonegar impostos. Na Polônia era preso Lech Walesa, o chefe dos sindicatos operários.

García Márquez recebia o Nobel em nome dos poetas, mendigos, músicos, profetas, guerreiros e malandros da América Latina. Matança do exército numa aldeia de El Salvador: mais de setecentos camponeses caíram fuzilados, metade eram crianças. Na Guatemala, o general Ríos Montt tomava de assalto o poder, para multiplicar a carnificina dos índios: proclamava que Deus lhe havia confiado o comando do país e anunciava que o Espírito Santo ia dirigir seus serviços de inteligência.

O Egito recuperava a península do Sinai, ocupada por Israel desde a guerra dos seis dias. O primeiro coração artificial batia no peito de alguém. Fontes bem-informadas de Miami anunciavam a queda iminente de Fidel Castro, que ia despencar em questão de horas. Na Itália, o Papa sobrevivia a seu segundo atentado. Na Espanha, eram condenados a trinta anos os oficiais que tinham organizado o ataque à Câmara de Deputados, e Felipe González iniciava sua fulminante corrida para a presidência do Governo, enquanto se inaugurava em Barcelona o décimo segundo Campeonato Mundial de Futebol.

Participaram 24 países, oito mais que no anterior, mas a América não saiu beneficiada com a nova distribuição:

houve catorze equipes europeias, seis americanas e duas africanas, além do Kuwait e da Nova Zelândia.

Na primeira rodada, a equipe argentina, campeã mundial, foi derrotada em Barcelona. Poucas horas depois, muito longe dali, nas ilhas Malvinas, os militares argentinos foram vencidos em sua guerra contra a Inglaterra. Os atrozes generais, que em vários anos de ditadura tinham ganhado a guerra contra seus próprios compatriotas, renderam-se mansamente aos militares ingleses. A televisão transmitiu a imagem: o oficial da Marinha Alfredo Astiz, violador de todos os direitos humanos, abaixava a cabeça e assinava o documento da humilhação.

Durante os dias seguintes, a televisão mostrou as imagens da Copa de 82: a túnica ao vento do xeque Fahid Al-Ahmad Al-Sabah, que invadiu o campo para protestar contra um gol da França contra o Kuwait; o gol do inglês Bryan Robson a meio minuto do início do jogo, o mais rápido da história dos mundiais; a indiferença do goleiro alemão Schumacher, depois de fazer o dianteiro francês Battiston desmaiar com uma joelhada. (Antes de ser goleiro, Schumacher tinha sido ferreiro.)

A Europa ganhou os primeiros lugares do campeonato, embora o Brasil exibisse o melhor futebol nos pés de Zico, Falcão e Sócrates. A seleção brasileira não teve sorte mas deliciou o público, e Zico, que acabava de ganhar o título de melhor jogador da América, soube justificar uma vez mais a *zicomania* das arquibancadas.

A Copa foi para a Itália. A seleção italiana tinha começado mal, aos tropeções, de empate em empate, mas cresceu depois, graças à sua boa armação de conjunto e às oportunas investidas de Paolo Rossi. Na final contra a Alemanha, a Itália se impôs por 3 a 1.

A Polônia, guiada pela boa música de Boniek, ficou em terceiro lugar. O quarto foi para a França, que merecia mais pela eficácia europeia e a alegria africana de seu memorável meio de campo.

O italiano Rossi encabeçou a lista de artilheiros, com seis gols, seguido pelo alemão Rummenigge, que meteu cinco e foi pródigo em lampejos.

Chifre em cabeça de cavalo

Alain Giresse formou, junto com Platini, Tigana e Genghini, o mais espetacular meio de campo do Mundial de 82 e de toda a história do futebol francês. Na tela da televisão, Giresse era tão pequenino que sempre parecia estar longe.

O húngaro Puskas era atarracado e gordo, como o alemão Seeler. O holandês Cruyff e o italiano Gianni Rivera eram jogadores de físico frágil. Pelé tinha pé chato, como Nestor Rossi, o sólido meio de campo argentino. O brasileiro Rivelino tinha o pior rendimento no teste de Cooper, mas no campo não havia quem o capturasse, e seu compatriota Sócrates tinha corpo de garça, altas pernas magérrimas e pés pequenos que se cansavam fácil, mas era um mestre do calcanhar, e se dava ao luxo de cobrar pênaltis com ele.

Enganam-se redondamente os que acreditam que as medidas físicas e os índices de velocidade e de força determinam a eficácia de um jogador de futebol, como se enganam redondamente os que creem que os testes de inteligência têm algo a ver com o talento ou que existe alguma relação entre o tamanho do pênis e o prazer sexual. Os bons jogadores de futebol podem não ser titãs talhados por Michelangelo. No futebol, a habilidade é mais determinante que as condições atléticas, e em muitos casos a habilidade consiste na arte de transformar as limitações em virtudes.

O colombiano Carlos Valderrama tem os pés tortos, e essa arcada serve para ele esconder melhor a bola. O mesmo acontecia com as pernas tortas de Garrincha. Onde está a bola? Na orelha? Dentro da chuteira? Para onde foi? O uruguaio *Cococho* Álvarez, que andava mancando, tinha um pé apontando para o outro, e foi um dos poucos beques que pôde controlar Pelé sem atingi-lo.

Foram dois baixinhos meio gordinhos, Romário e Maradona, as estrelas do Mundial de 94. E têm essa mesma estatura dois atacantes uruguaios que triunfaram na Itália nos últimos anos, Ruben Sosa e Carlos Aguilera. Graças a seu minúsculo tamanho, o brasileiro Leônidas, o inglês Kevin Keegan, o irlandês George Best e o dinamarquês Allan Simonsen, chamado de *Pulga*, conseguiam escorregar através de defesas impenetráveis e se safavam facilmente dos zagueiros grandões, que tentavam tudo mas não conseguiam detê-los. Também foi pequeno, mas blindado, Félix Loustau, o ponta-esquerda de *A Máquina* do River Plate, e era chamado de *Ventilador*, porque era ele que dava um respiro ao resto do time fazendo-se perseguir pelos adversários. Os homens de Liliput podem mudar de ritmo e acelerar bruscamente, sem que se derrube o alto edifício do corpo.

Platini

Michel Platini também não tinha físico de atleta. Em 1972, o médico do clube Metz informou que Platini *sofria de insuficiência cardíaca e débil capacidade respiratória*. O relatório foi suficiente para que o Metz rejeitasse o aspirante a jogador, embora o médico não tenha visto que Platini tinha, além disso, tornozelos rígidos, que o expunham a fraturas fáceis, e tendência a engordar, por sua paixão pelas massas. De qualquer maneira, dez anos depois, pouco antes do Mundial da Espanha, o defeituoso se vingou: seu time, o Saint-Etienne, goleou o Metz por 9 a 2.

Platini foi a síntese do melhor do futebol francês: reunia a pontaria de Just Fontaine, que no Mundial de 58 fez 13 gols, um recorde jamais superado, e a mobilidade e a astúcia de Raymond Kopa. Platini proporcionava, em cada partida, um recital de gols de ilusionista, desses que não podem ser de verdade, e também ofuscava o público com sua capacidade para organizar o jogo de toda a equipe. Dirigida por ele, a seleção francesa exibia um futebol harmonioso, construído e desfrutado passo a passo, à medida em que cada jogada crescia: tudo ao contrário do pelotaço cego, arremetida em massa, e Deus tenha piedade.

Nas semifinais do Mundial de 82, a França foi derrotada pela Alemanha, que ganhou por pênaltis. Foi um duelo entre Platini e Rummenigge, que estava contundido e entrou em campo de qualquer maneira, e decidiu a partida. Depois, na final, a Alemanha caiu diante da Itália. Nem Platini nem Rummenigge, dois dos jogadores que fizeram história no futebol, puderam ter o gosto de ganhar um campeonato mundial.

Os sacrifícios da festa pagã

Em 1985, os *hooligans*, fanáticos ingleses de triste fama, mataram 39 torcedores italianos nas grades do velho estádio Heysel, em Bruxelas. O Liverpool estava disputando a final da Copa da Europa com o Juventus, da Itália, quando os *hooligans* atacaram. Os italianos, encurralados contra um muro, caíram esmagando-se uns aos outros ou foram lançados ao vazio. A televisão transmitiu ao vivo a carnificina e também transmitiu a partida, que não foi suspensa.

A partir de então, a Itália foi território proibido para os torcedores ingleses, mesmo que tivessem certificados de boa educação. No Mundial de 90, a Itália não teve outro remédio senão permitir a entrada das torcidas na ilha da Sardenha, onde ia jogar a seleção inglesa, mas entre elas eram mais numerosos os agentes da Scotland Yard que os torcedores de futebol, e o próprio ministro dos Esportes do governo britânico encarregou-se de vigiá-las pessoalmente.

Um século antes, em 1890, advertia o jornal londrino *The Times*: "Nossos *hooligans* vão de mal a pior, e o pior é que se multiplicam. Eles são uma excrescência monstruosa de nossa civilização". Em nossos dias, essa excrescência continua dedicando-se ao crime, usando o futebol como pretexto.

Onde os *hooligans* aparecem, semeiam o pânico. Levam o corpo tatuado por fora e cheio de álcool por dentro, diversos trastes patrióticos pendurados no pescoço e nas orelhas, usam manoplas e cacetes e transpiram violência a jorros enquanto uivam *Rule Britannia* e outros rancores do Império perdido. Na Inglaterra e em outros países, os brigões também ostentam, com frequência, símbolos nazistas, e proclamam seu ódio aos negros, aos árabes, aos turcos, aos paquistaneses ou aos judeus.

— *Vão para a África!* — rugia um *ultra* do Real Madrid, que se divertia espancando negros "porque vieram tomar o meu trabalho".

Com o pretexto do futebol, os *naziskins* italianos vaiam os jogadores negros e chamam os torcedores inimigos de *judeus*:

– *Ebrei!* – gritam.

Mas as turmas da pesada, que ofendem o futebol como o bêbedo ofende o vinho, não são um triste privilégio europeu. Quase todos os países sofrem com elas, alguns mais, outros menos, e os cachorros raivosos do futebol se multiplicam nos tempos que correm. Até há alguns anos, o Chile tinha as torcidas mais cordiais que já vi: homens, e também mulheres e crianças, capazes de oferecer espetáculos musicais que, nas arquibancadas, competiam com júri e tudo. Hoje em dia, o Colo-Colo conta com suas quadrilhas briguentas, a *Garra Branca,* e os do Universidad de Chile se chamam *Os de Baixo.*

Em 1993, Jorge Valdano calculava que nos últimos quinze anos tinham morrido mais de cem pessoas, vítimas da violência, nos estádios argentinos. A violência, dizia Valdano, cresce na proporção direta das injustiças sociais e das frustrações que as pessoas acumulam na sua vida cotidiana. As galeras pesadas se nutrem, em todas as partes, de jovens atormentados pela falta de trabalho e de esperança. Uns meses depois dessas declarações o Boca Juniors, de Buenos Aires, foi derrotado por 2 a 0 pelo River Plate, seu adversário tradicional. Na saída do estádio, dois torcedores do River caíram mortos a tiro. "Empatamos por dois a dois", comentou um rapaz, torcedor do Boca Juniors, que a televisão entrevistou.

Numa crônica que escreveu em outros tempos, e a propósito de outros esportes, Dione Crisóstomo retratou os torcedores romanos do segundo século depois de Cristo: "Quando vão ao estádio, é como se descobrissem um depósito de drogas. Esquecem-se completamente de si mesmos e sem nenhuma vergonha dizem e fazem a primeira coisa que lhes vem à cabeça". A pior catástrofe da história do esporte ocorreu ali, em Roma, quatro séculos depois. No ano de 512, milhares de pessoas morreram – dizem que trinta mil, custa acreditar – numa guerra de rua que as duas torcidas inimigas travaram durante vários dias. Mas não eram torcidas de futebol, e sim de corridas de quadrigas.

Nos estádios de futebol, a tragédia que atingiu mais vítimas foi a de 1964, na capital do Peru. Quando o árbitro anulou um gol, nos minutos finais de uma partida contra a Argentina, choveram laranjas, latas de cerveja e outros projéteis das arquibancadas ardentes de fúria. As bombas de gás e os tiros dos policiais provocaram, então, uma fuga desesperada. A carga policial esmagou a multidão contra os portões de saída, que estavam fechados. Houve mais de trezentos mortos. Naquela noite, uma multidão protestou nas ruas de Lima: a manifestação protestou contra o juiz, não contra a polícia.

O Mundial de 86

Baby Doc Duvalier fugia do Haiti, roubando tudo, e roubando tudo fugia Ferdinando Marcos das Filipinas, enquanto os arquivos norte-americanos revelavam, antes tarde do que nunca, que Marcos, o aclamado herói filipino da Segunda Guerra Mundial, tinha sido na realidade um desertor.

O cometa Halley visitava nossos céus depois de grande ausência, descobriam-se nove luas em torno do planeta Urano, aparecia o primeiro buraco na camada de ozônio que nos protege do sol. Difundia-se uma nova droga, filha da engenharia genética, contra a leucemia. No Japão se suicidava uma cantora da moda e, seguindo-a, escolhiam a morte 23 de seus devotos. Um terremoto deixava sem casa duzentos mil salvadorenhos e a catástrofe da central nuclear soviética de Chernobyl provocava uma chuva de veneno radioativo, impossível de medir e de deter, sobre sabe-se lá quantas léguas e populações.

Felipe González dizia *sim* à OTAN, a aliança militar atlântica, depois de haver gritado *não*, e um plebiscito bendizia a mudança enquanto a Espanha e Portugal entravam no mercado comum europeu. O mundo chorava a morte de Olof Palme, o primeiro-ministro da Suécia, assassinado na rua. Tempos de luto para as artes e as letras: deixavam-nos o escultor Henry Moore e os escritores Simone de Beauvoir, Jean Genet, Juan Rulfo e Jorge Luis Borges.

Estourava o escândalo *Irangate*, que implicava o presidente Reagan, a CIA e os *contras* da Nicarágua no tráfico de armas e de drogas, e explodia a nave espacial Challenger, ao levantar voo de Cabo Canaveral, com sete tripulantes a bordo. A aviação norte-americana bombardeava a Líbia e matava uma filha do coronel Kaddafi, para castigar um atentado que anos depois foi atribuído ao Irã.

Numa prisão de Lima morriam metralhados quatrocentos presos. Fontes bem-informadas de Miami anunciavam a queda iminente de Fidel Castro, que ia despencar em questão de horas. Ruíram muitos edifícios sem alicerces, com gente dentro, quando um terremoto sacudiu a cidade do México, no ano anterior, e boa parte da cidade estava ainda em ruínas quando se inaugurava ali o décimo terceiro Campeonato Mundial de Futebol.

Na Copa de 86, participaram catorze países europeus e seis americanos, além do Marrocos, Coreia do Sul, Iraque e Argélia. No México nasceu a *ola* nas arquibancadas, que a partir de então costuma mover as torcidas do mundo no ritmo do mar bravio. Houve partidas de arrepiar o cabelo, como a da França contra o Brasil, onde os jogadores infalíveis, Platini, Zico, Sócrates, fracassaram nos pênaltis; e houve duas goleadas espetaculares da Dinamarca, que marcou seis tentos contra o Uruguai e recebeu cinco da Espanha.

Mas aquele foi o Mundial de Maradona. Contra a Inglaterra, Maradona vingou com dois gols de esquerda o orgulho pátrio ferido nas Malvinas: fez um com a mão esquerda, que ele chamou de *mão de Deus*, e o outro com a perna esquerda, depois de ter derrubado no chão a defesa inglesa.

A Argentina disputou a final contra a Alemanha. Foi de Maradona o passe decisivo, que deixou sozinho Burruchaga para que a Argentina se impusesse por 3 a 2 e ganhasse o campeonato quando o relógio já marcava o fim da partida, mas antes tinha havido outro gol memorável: Valdano arrancou com a bola desde o arco argentino, cruzou toda a cancha e quando Schumacher saiu para cortar, colocou-a rente à trave direita. Valdano vinha falando com a bola, vinha lhe suplicando:

– *Por favor, entre.*

A França se classificou em terceiro lugar, seguida pela Bélgica. O inglês Lineker liderou a lista de artilheiros, com seis gols. Maradona fez cinco, como o brasileiro Careca e o espanhol Butragueño.

A telecracia

Hoje em dia, o estádio é um gigantesco estúdio de televisão. Joga-se para a televisão, que oferece a partida em casa. E a televisão manda.

No Mundial de 86, Valdano, Maradona e outros jogadores protestaram porque as principais partidas eram disputadas ao meio-dia, debaixo de um sol que fritava tudo que tocava. O meio-dia do México, anoitecer da Europa, era o horário que convinha à televisão europeia. O arqueiro alemão, Harald Schumacher, contou o que acontecia:

– *Suo. Tenho a garganta seca. A grama está como a merda seca: dura, estranha, hostil. O sol cai a pique sobre o estádio e explode sobre nossas cabeças. Não projetamos sombras. Dizem que isto é bom para a televisão.*

A venda do espetáculo importava mais do que a qualidade do jogo? Os jogadores existem para chutar, não para sapatear; e Havelange pôs um ponto final no aborrecido assunto:

— *Que calem a boca e joguem* — sentenciou.

Quem dirigiu o Mundial de 86? A Federação Mexicana de Futebol? Não, por favor, chega de intermediários: quem dirigiu foi Guilhermo Cañedo, vice-presidente da Televisa e presidente da rede internacional da empresa. Foi o Mundial da Televisa, o monopólio privado que é dono do tempo livre dos mexicanos e também dono do futebol do México. E nada era mais importante que o dinheiro que a Televisa podia receber, junto com a FIFA, pelas transmissões aos mercados europeus. Quando um jornalista mexicano cometeu a insolência de perguntar pelos gastos e lucros do Mundial, Cañedo cortou-o secamente:

— *Esta é uma empresa privada que não tem por que prestar contas a ninguém.*

Terminado o Mundial, Cañedo continuou sendo cortesão de Havelange, numa das vice-presidências da FIFA, outra empresa privada que tampouco presta contas a alguém.

A Televisa não apenas tem em suas mãos as transmissões nacionais e internacionais do futebol mexicano, possui além disso três dos clubes da primeira divisão: a empresa é dona do América, o mais poderoso, do Necaxa e do Atlante.

Em 1990, a Televisa fez uma feroz exibição de seu poder sobre o futebol mexicano. Naquele ano, o presidente do clube Puebla, Emilio Maurer, teve uma ideia mortal: ocorreu-lhe que a Televisa bem que podia desembolsar mais dinheiro por seus direitos exclusivos de transmissão das partidas. A iniciativa de Maurer teve boa repercussão em alguns dirigentes da Federação Mexicana de Futebol. Afinal, o monopólio pagava pouco mais de mil dólares a cada time, enquanto ganhava fortunas vendendo os espaços de publicidade.

A Televisa mostrou, então, quem manda. Maurer sofreu um bombardeio implacável: de repente descobriu que seus negócios e sua casa tinham sido embargados por dívidas, foi ameaçado, foi assaltado, foi declarado fora da lei e lançou-se contra ele uma ordem de prisão. Além disso, o estádio de seu time, o Puebla, um belo dia amanheceu fechado, sem aviso-prévio. Mas os métodos mafiosos não bastaram para derrubá-lo do cavalo, de modo que não houve outra solução senão mandar Maurer para a prisão e varrê-lo do time rebelde e da Federação Mexicana de Futebol, junto com todos os seus aliados.

Em todo o mundo, por meios diretos ou indiretos, a televisão decide onde, quando e como se joga. O futebol se vendeu à telinha de corpo, alma e roupa. Os jogadores são, agora, astros da televisão. Quem concorre com seus espetáculos? O programa que teve mais audiência na França e na Itália em 1993 foi a final da Copa Europeia de Campeões, disputada pelo Olympique de Marselha e pelo Milan. O Milan, como se sabe, pertence a Silvio Berlusconi, o czar da televisão italiana. Bernard Tapie não era o dono da televisão francesa, mas seu time, o Olympique, tinha recebido da telinha, em 1993, trezentas vezes mais dinheiro do que em 1980. Razões não lhe faltavam para ter-lhe carinho.

Agora milhões de pessoas podem ver as partidas, e não apenas as milhares que cabem nos estádios. Os torcedores se multiplicaram e se transformaram em possíveis consumidores de qualquer coisa que os manipuladores de imagens queiram vender. Mas, diferente do beisebol e do basquetebol, o futebol é um jogo contínuo, que não oferece muitas interrupções úteis para fazer publicidade. Um intervalo só não é suficiente. A televisão norte-americana propôs corrigir este defeito desagradável dividindo as partidas em quatro tempos de 25 minutos, e Havelange está de acordo.

A sério e em série

Don Howe, técnico da seleção inglesa, afirmava em 1987:
— *Nunca poderá ser um bom jogador de futebol quem se sentir contente depois de perder uma partida.*

O futebol profissional, cada vez mais rápido, cada vez menos belo, tende a se transformar numa competição de velocidade e força, que tem como combustível o pânico de perder.

Corre-se muito, arrisca-se pouco ou nada. A audácia não é rentável. Em quarenta anos, entre os Mundiais de 54 e o de 94, a média de gols reduziu-se à metade, embora em 94 tenha sido dado um ponto mais em cada vitória, com a intenção de desestimular o empate. Aplaudida eficiência da mediocridade: sobram cada vez mais, no futebol moderno, as equipes integradas por funcionários especializados em evitar a derrota, e não por jogadores que correm o risco de atuar com inspiração e se deixarem levar pela improvisação.

O jogador chileno Carlos Caszely gozava com o futebol avarento:
— *É a tática do morcego* – dizia. – *Onze jogadores pendurados na trave.*

E o jogador russo Nikolai Stárostin queixava-se do futebol dirigido por controle remoto:
— *Agora os jogadores parecem todos iguais. Se trocarem as camisas, ninguém os reconhecerá. Todos jogam igual.*

Jogar a sério e em série é jogar? Segundo os entendidos na raiz e no sentido das palavras, *jogar* é caçoar, gracejar, e a palavra *saúde* expressa a máxima liberdade do corpo. A eficiência controlada das repetições mecânicas, inimiga da saúde, está adoecendo o futebol.

Ganhar sem magia, sem surpresa nem beleza, não é pior que perder? Em 1994, durante o campeonato espanhol, o Real Madrid foi derrotado pelo Sporting de Gijón. Mas os homens do Real Madrid tinham jogado com *entusiasmo*, palavra que em sua origem significa "ter os deuses dentro". O técnico, Jorge Valdano, recebeu com cara boa os jogadores no vestiário:

– *Quando se joga assim* – Valdano disse a eles – *temos permissão para perder.*

As farmácias ambulantes

No Mundial de 54, quando a Alemanha deu a assombrosa acelerada que deixou os húngaros na valeta, Ferenc Puskas disse que o vestiário alemão cheirava a jardim de amapolas, e que isso tinha algo que ver com o fato de os vencedores terem corrido como trens.

Em 1987, o goleiro da seleção alemã, Harald *Toni* Schumacher, publicou um livro em que dizia:

– *Aqui sobram drogas e faltam mulheres* – referindo-se ao futebol alemão e, por extensão, a todo o futebol profissional. Schumacher contou em seu livro, *Der anpfiff, o apito inicial*, que os jogadores da seleção alemã tinham recebido, no Mundial de 86, uma incontável quantidade de injeções e comprimidos e grandes doses de uma misteriosa água mineral que provocava diarreias. Aquela equipe representava seu país ou a indústria química alemã? Até para dormir os jogadores eram obrigados a tomar comprimidos. Schumacher os cuspia, porque, para dormir, preferia cerveja.

O arqueiro confirmou que no futebol profissional é frequente o consumo de drogas anabolizantes e estimulantes. Obrigados pela lei do rendimento, que exige ganhar de qualquer maneira e gera ansiedade e angústia, muitos jogadores se transformam em farmácias ambulantes. E o mesmo sistema que os condena *a isso*, também os condena *por isso,* cada vez que o assunto vem à tona.

Schumacher, que reconhecia que também ele havia se dopado algumas vezes, foi acusado de traição à pátria. O ídolo popular, vice-campeão em dois torneios mundiais, caiu do santuário e foi lançado às patas dos cavalos. Afastado de seu time, o Colônia, perdeu seu lugar na seleção nacional e não teve outro remédio senão ir jogar na Turquia.

Os cânticos do desprezo

Não figura nos mapas, mas existe. É invisível, mas existe. Há uma parede que ridiculariza a memória do Muro de Berlim: levantada para separar os que têm dos que necessitam, ela divide o mundo inteiro em norte e sul, e também traça fronteiras dentro de cada país e dentro de cada cidade. Quando o sul do mundo comete a ousadia de saltar esse muro e se mete onde não deve, o norte lhe recorda, a pauladas, qual é o seu lugar. E o mesmo acontece com as invasões de cada país e de cada cidade a partir das zonas malditas.

O futebol, espelho de tudo, reflete esta realidade. Em meados dos anos 80, quando o Nápoles começou a jogar o melhor futebol da Itália, graças ao influxo mágico de Maradona, o público do norte do país reagiu desembainhando as velhas armas do desprezo. Os napolitanos, usurpadores da glória proibida, estavam arrebatando seus troféus aos poderosos de sempre, e eles castigaram aquela insolência da ralé intrusa, vinda do sul. Das arquibancadas dos estádios de Milão ou de Turim, os cartazes insultavam: *Napolitanos, bem-vindos à Itália*, ou exerciam a crueldade: *Vesúvio, contamos contigo*.

E com mais força do que nunca ressoaram os cânticos filhos do medo e netos do racismo:

> *Que mal cheiro,*
> *até os cães fogem,*
> *os napolitanos estão chegando.*
> *Oh coléricos, terremotados,*
> *com sabão nunca lavados.*
> *Nápoles merda, Nápoles cólera,*
> *és a vergonha de toda a Itália.*

Na Argentina, acontece o mesmo com o Boca Juniors. O Boca é o time preferido pela pobreza de cabelo eriçado e pele morena que invadiu a senhorial cidade de Buenos Aires, em rajadas vindas dos macegais do interior e dos países vizinhos. As torcidas inimigas exorcizam o temido demônio:

> *Já todos sabem que o Boca está de luto,*
> *são todos negros, são todos putos.*
> *Deve-se matar os bostas,*
> *são todos putos, todos caipiras,*
> *que precisam ser jogados no Riachuelo.*

Vale tudo

Em 1988, o jornalista mexicano Miguel Ángel Ramírez denunciou uma fonte da juventude. Alguns jogadores da seleção juvenil do México, passados da idade em dois, três e até seis anos, tinham se banhado nessas águas mágicas: os dirigentes tinham falsificado suas certidões de nascimento e haviam fabricado passaportes falsos para eles. Submetido ao prodigioso tratamento, um desses jogadores conseguira ser dois anos mais novo que seu irmão gêmeo.

Então, o vice-presidente do Guadalajara declarou:

– *Não digo que seja uma coisa boa, mas foi feito sempre.*

E Rafael del Castillo, que era o mandachuva do futebol juvenil, perguntou:

– *Por que o México não pode ser manhoso, quando outros países fazem isso como uma coisa normal?*

Pouco depois do Mundial de 66, o interventor da Associação do Futebol Argentino, Valentín Suárez, declarou:

– *Stanley Rous é um homem incorreto. Organizou o Mundial para que a Inglaterra ganhasse. Eu faria o mesmo se o Mundial fosse jogado na Argentina.*

A moral do mercado, que em nosso tempo é a moral do mundo, autoriza todas as chaves do sucesso, mesmo que sejam gazuas. O futebol profissional não tem escrúpulos, porque integra um sistema de poder inescrupuloso que compra eficácia a qualquer preço. E afinal de contas, o escrúpulo nunca foi grande coisa. *Escrúpulo* era a menor medida de peso, a mais insignificante, na Itália do Renascimento. Cinco séculos depois, Paul Steiner, jogador alemão do Colônia, explicava:

– *Jogo por dinheiro e por pontos. O adversário quer tirar-me o dinheiro e os pontos. Por isso devo lutar contra ele por todos os meios.*

E o jogador holandês Ronald Koeman justificava assim o pontapé de seu compatriota Gillaus, que desventrou o francês Tigana em 1988.

– *Foi um ato de pura classe. Tigana era o mais perigoso e tinha que ser neutralizado a qualquer preço.*

O fim justifica os meios, e qualquer sacanagem é boa, embora convenha executá-la dissimuladamente. Basile Boli, do Olympique de Marselha, um beque acusado de maltratar tornozelos alheios, contou seu batismo de fogo: em 1983, estatelou com uma cabeçada Roger Milla, que o enlouquecia com cotoveladas. E Boli teorizou a experiência:

– *Eis aqui a primeira lição: bata antes que te batam, mas bata discretamente.*

Deve-se bater longe da bola. O árbitro, como as câmaras de televisão, tem os olhos cravados na bola.

No Mundial de 70, Pelé sofreu a marcação do italiano Bertini. Depois, elogiou-o assim:

– *Bertini era um artista cometendo faltas sem que o vissem. Metia o punho em minhas costelas ou no estômago, chutava meu tornozelo...Um artista.*

Entre os jornalistas argentinos, são frequentes os aplausos às trapaças que atribuem a Carlos Bilardo, porque soube fazê-las com habilidade e com bons resultados. Segundo dizem, quando Bilardo era jogador, espetava seus adversários com uma agulha e fazia cara de não fui eu. E quando era diretor técnico da seleção argentina, conseguiu mandar um cantil de água com vomitivos a Branco, um sedento jogador brasileiro, durante a partida mais difícil do Mundial de 90.

Os jornalistas uruguaios costumam chamar de *jogo de perna forte* à falta pérfida, e mais de um celebrou a eficácia do *pontapé de amolecimento,* para intimidar os rivais nas partidas internacionais. O tal tranco deve ser aplicado nos primeiros minutos de jogo. Depois, corre-se o risco de expulsão. No futebol uruguaio, a violência foi filha da decadência. Antes, a *garra charrua* era o nome da valentia, e não dos pontapés. No Mundial de 50, sem ir mais longe, na célebre final do Maracanã, o Brasil cometeu o dobro de faltas que o Uruguai. No Mundial de 90, quando o técnico Oscar Tabárez conseguiu que a seleção uruguaia recuperasse o jogo limpo, alguns comentaristas locais tiveram o prazer de confirmar que isso não dava bons resultados. E são numerosos os torcedores, e também os dirigentes, que preferem ganhar sem honra a perder nobremente.

O *Pepe* Sasía, atacante uruguaio, contava:

– *Jogar terra nos olhos do goleiro? Os dirigentes acham ruim, quando dá para perceber....*

Os torcedores argentinos falaram maravilhas do gol que Maradona fez com a mão no Mundial de 86, *porque o árbitro não o viu*. Nas eliminatórias do Mundial de 90, o goleiro da seleção do Chile, Roberto Rojas, simulou uma ferida, cortando a testa, e foi descoberto.

Os torcedores chilenos, que o adoravam e o chamavam *o Condor*, transformaram-no subitamente em vilão do filme *porque o truque foi mal feito...*

No futebol profissional, como em tudo o mais, não importa o crime, se o álibi for bom. Cultura significa cultivo. O que cultiva em nós a cultura do poder? Quais podem ser as tristes colheitas de um poder que proporciona impunidade aos crimes dos militares e aos saques dos políticos, e os transforma em façanhas?

O escritor Albert Camus, que foi goleiro na Argélia, não se referia ao futebol profissional quando dizia:

– *Tudo o que sei de moral, devo ao futebol.*

Indigestão

Em 1989, em Buenos Aires, terminou empatada uma partida entre os Argentinos Junior e o Racing. O regulamento obrigou a defini-la por pênaltis.

O público assistiu de pé, roendo as unhas, aos primeiros tiros de doze passos. A torcida gritou o gol do Racing. Em seguida veio o gol do Argentinos Juniors, aclamado pela torcida da outra arquibancada. Houve ovação quando o arqueiro do Racing se lançou contra uma trave e desviou a bola. Outra ovação felicitou o goleiro do Argentinos, que não se deixou seduzir pelas caretas e esperou a bola no centro do arco.

Quando foi cobrado o décimo pênalti, houve um ou outro aplauso. Alguns torcedores abandonaram o estádio depois do vigésimo gol. Quando foi cobrado o pênalti número trinta, as poucas pessoas que ficaram dedicaram a ele alguns bocejos. Os chutes iam e vinham, e o empate continuava.

Após 44 pênaltis, terminou a partida. Foi o recorde mundial de pênaltis. No estádio já não havia ninguém para celebrá-lo, e nem se soube quem tinha ganhado.

O Mundial de 90

Nelson Mandela estava em liberdade depois de ter passado 27 anos na prisão, por ser negro e por ser digno, na África do Sul. Na Colômbia caía assassinado Bernardo Jaramillo, candidato presidencial da esquerda, e a polícia, de um helicóptero, crivava de balas o narcotraficante Rodríguez Gacha, um dos dez homens mais ricos do mundo. O Chile recuperava sua gravemente ferida democracia, mas o general Pinochet, que continuava mandando nos militares, vigiava os políticos e marcava-lhes o passo. Fujimori, montado num trator, derrotava Vargas Llosa nas eleições peruanas. Na Nicarágua, os sandinistas perdiam as eleições, vencidos pelo cansaço de dez anos de guerra contra os invasores armados e treinados pelos Estados Unidos, enquanto os Estados Unidos iniciavam uma nova ocupação do Panamá, depois de ter concluído com êxito sua vigésima primeira invasão deste país.

Na Polônia, o sindicalista Walesa, homem de missa diária, passava do cárcere ao governo. Em Moscou, uma multidão fazia fila nas portas do McDonald's. O muro de

Berlim era vendido em pedacinhos, começava a unificação das duas Alemanhas e a desintegração da Iugoslávia. Uma insurreição popular derrubava o regime de Ceausescu, na Romênia, e fuzilava o veterano ditador, que se fazia chamar de *Danúbio Azul do Socialismo*. Em todo o leste da Europa, os velhos burocratas se transformavam em novos empresários e as gruas arrastavam as estátuas de Marx, que não tinha como dizer: "Sou inocente". Fontes bem-informadas de Miami anunciavam a queda iminente de Fidel Castro, que ia despencar em questão de horas. Lá no céu, máquinas terrestres visitavam Vênus e espiavam seus segredos, enquanto aqui na terra se inaugurava, na Itália, o décimo quarto Campeonato Mundial de Futebol.

Participaram catorze equipes europeias, seis americanas, o Egito, a Coreia do Sul, os Emirados Árabes Unidos e a República de Camarões, que assombrou o mundo derrotando a seleção argentina na partida inaugural e jogando de igual para igual contra a Inglaterra. Milla, um veterano de quarenta anos, era o primeiro tambor desta orquestra africana.

Maradona, com um pé inchado que nem uma abóbora, se virava para conduzir os companheiros. O tango soava a duras penas. Depois de perder contra Camarões, a Argentina empatou com a Romênia e com a Itália e esteve a ponto de perder para o Brasil. Os jogadores brasileiros dominaram toda a partida, até que Maradona, jogando com uma perna só, se livrou de três homens na metade da cancha e serviu Caniggia, que foi para o gol como um raio.

A Argentina enfrentou a Alemanha na final, como no Mundial anterior, mas desta vez os alemães venceram por 1 a 0, graças a um pênalti invisível e à sábia direção técnica de Beckenbauer.

A Itália ficou em terceiro lugar. A Inglaterra, em quarto. O italiano Schillaci liderou a lista de artilheiros, com seis gols, seguido por Skuharavy, da Tchecoslováquia, com cinco. Este campeonato, com um futebol aborrecido, sem audácia, sem beleza, registrou a mais baixa média de gols da história dos mundiais.

Gol de Rincón

Foi no Mundial de 90. A Colômbia tinha jogado melhor que a Alemanha, mas perdia por 1 a 0 e já estavam no último minuto.

A bola chegou ao centro do campo. Ela procurava uma coroa de cabeleira eletrizada: Valderrama recebeu a bola de costas, girou, soltou-se de três alemães que o chateavam e passou-a a Rincón, e Rincón a Valderrama, Valderrama a Rincón, sua e minha, minha e sua, tocando e tocando, até que Rincón deu alguns passos de girafa e ficou sozinho na frente de Illgner, o goleiro alemão. Illgner fechava o gol. Então Rincón não bateu na bola: acariciou-a. E ela deslizou, suavezinha, pelo meio das pernas do goleiro, e foi gol.

Hugo Sánchez

Corria o ano de 1992, a Iugoslávia tinha explodido em pedaços, a guerra ensinava os irmãos a se odiarem e a matar e a violar sem remorsos.

Dois jornalistas mexicanos, Epi Ibarra e Hernán Vera, queriam chegar a Sarajevo. Bombardeada, sitiada, Sarajevo era uma cidade proibida para a imprensa internacional, e a audácia tinha custado a vida a mais de um jornalista.

Nos arredores, reinava o caos. Todos contra todos: ninguém sabia quem era quem, nem contra quem lutava, naquela confusão de trincheiras, casas fumegantes e mortos sem sepultura. De mapa na mão, Epi e Hernán conseguiram atravessar os estampidos dos canhonaços e as rajadas das metralhadoras, até que de repente chocaram-se com uma quantidade de soldados, nas margens do rio Drina. Com um empurrão, os soldados jogaram os dois no chão, e apontaram para o seu peito. O oficial bradava não se sabe o quê, enquanto eles balbuciavam não se sabe o quê, mas quando o oficial passou o dedo pelo pescoço e as armas fizeram clic, os jornalistas entenderam perfeitamente bem que estavam sendo confundidos com espiões, e que só podiam despedir-se e rezar para que existisse Céu.

Então os condenados tiveram a ideia de mostrar seus passaportes. E o rosto do oficial se iluminou:

– *México!* – gritou. – *Hugo Sánchez!*

Deixou cair a arma e os abraçou.

Hugo Sánchez, a chave mexicana que abriu aqueles caminhos impossíveis, tinha conquistado fama universal graças à televisão, que mostrou a arte de seus gols e as cabriolas com que os comemorava. Na temporada de 89/90, vestindo a camisa do Real Madrid, atingiu as redes 38 vezes. Foi o maior artilheiro estrangeiro de toda a história do futebol espanhol.

A cigarra e a formiga

Em 1992, a cigarra cantora venceu por 2 a 0 a formiga trabalhadora.

Na final da Copa europeia de nações, mediram-se a Alemanha e a Dinamarca. Os jogadores alemães vinham do jejum, da abstinência e do trabalho. Os dinamarqueses vinham da cerveja, das mulheres e das sestas ao sol. A Dinamarca tinha perdido a classificação e seus jogadores estavam de férias, quando foram chamados, às pressas, para ocuparem o lugar da Iugoslávia, ausente do campeonato por causa da guerra. Não tiveram tempo nem vontade de treinar, e o time não pôde contar com sua figura mais brilhante, Michael Laudrup, jogador de pés alegres e certeiros, que acabava de ganhar o torneio europeu de clubes com a camisa do Barcelona. A seleção alemã, ao contrário, chegou à final com Matthaus, Klinsmann e todos os seus astros. A Alemanha, que *devia* ganhar, foi derrotada pela Dinamarca, que não se sentia obrigada a nada e jogou como se o campo fosse uma continuação da praia.

Gullit

Em 1993, a maré do racismo estava subindo. Já dava para sentir na Europa inteira o cheiro da peste, como um pesadelo que volta, enquanto aconteciam alguns crimes e eram promulgadas algumas leis contra os imigrantes dos países que tinham sido colônias. Muitos jovens brancos não conseguiam trabalho, e as pessoas de pele escura pagavam o pato.

Naquele ano, uma equipe da França ganhou, pela primeira vez, a copa europeia. O gol da vitória foi obra de Basile Boli, um africano da Costa do Marfim, que cabeceou um escanteio cobrado por outro africano, Abedi Pelé, nascido em Gana. Ao mesmo tempo, nem os mais cegos militantes da supremacia branca podiam negar que os melhores jogadores da Holanda continuavam sendo os veteranos Ruud Gullit e Frank Rijkaard, filhos de homens de pele escura vindos do Suriname, e que o africano Eusébio tinha sido o melhor de Portugal.

Ruud Gullit, chamado de *Tulipa Negra*, foi sempre um atuante inimigo do racismo. Entre uma partida e outra cantou, de guitarra na mão, em vários concertos organizados contra o apartheid na África do Sul, e em 1987, quando foi eleito o jogador que mais se destacou na Europa, dedicou sua *bola de ouro* a Nelson Mandela, que há muitos anos estava encerrado numa prisão pelo crime de acreditar que os negros são pessoas.

Gullit teve o joelho operado três vezes. Nas três vezes, os jornalistas o consideraram liquidado. Mas ressuscitou, de pura vontade.

– *Eu, sem jogar, sou como um recém-nascido sem chupeta.*

Suas pernas velozes e goleadoras, e seu físico imponente coroado por uma melena de tranças rastafári, conquistaram o fervor popular nas equipes mais poderosas da Holanda e da Itália. Por sua vez, Gullit nunca se dera bem com os técnicos nem com os dirigentes, por seu costume de desobedecer e sua obstinada mania de denunciar a cultura do dinheiro, que está transformando o futebol em mais um assunto da bolsa de valores.

O parricídio

No final do inverno de 1993, a seleção colombiana jogou em Buenos Aires uma partida de classificação para o Mundial. Quando os jogadores colombianos entraram em campo, foram vaiados, insultados. Quando saíram, o público despediu-se deles de pé, com uma ovação que até hoje é escutada.

A Argentina perdeu por 5 a 0. Como de costume, foi o goleiro que carregou a cruz da derrota, mas a vitória alheia foi celebrada como nunca. Por unanimidade, os argentinos agradeceram ao prodigioso jogo colombiano, gozo das pernas, prazer dos olhos: uma dança que ia criando, com coreografia mutante, sua própria música. A autoridade do *Pibe* Valderrama, um mulato plebeu, dava inveja aos príncipes, e os jogadores negros eram os reis da festa: ninguém passava por Perea, não havia quem detivesse o *Trem* Valencia, não havia quem pudesse com os tentáculos do *Polvo* Asprilla e não havia quem agarrasse os tirambaços de Rincón. Pela cor da pele e a cor da alegria, aquele parecia um time do Brasil dos melhores tempos.

Os colombianos chamaram aquela goleada de parricídio. Meio século antes, tinham sido argentinos os pais do futebol em Bogotá, Medellín ou Cali. Mas Pedernera, Di Stéfano, Rossi, Rial, Pontoni e Moreno tinham gerado um filho de tipo mais brasileiro, por causa das tais coisas da vida.

Gol de Zico

Foi em 1993. Em Tóquio, o Kashima disputava a Copa do Imperador contra o Tokoku Sendai.

O brasileiro Zico, astro do Kashima, fez o gol da vitória, que foi o mais lindo dos gols da sua vida. A bola chegou, cruzada ao centro, pela direita. Zico, que estava na meia-lua da área, entrou com tudo. No embalo, ultrapassou-a: quando percebeu que a bola tinha ficado para trás, deu uma cambalhota no ar e em pleno voo, com a cara para o chão, chutou-a de calcanhar. Foi uma bicicleta, mas ao contrário.

— *Contem-me como foi esse gol* — pediam os cegos.

Um esporte de evasão

Quando a Espanha ainda sofria a ditadura de Franco, o presidente do Real Madrid, Santiago Bernabéu, definia assim a missão do time:

— *Estamos prestando um serviço à nação. O que queremos é manter as pessoas contentes.*

E seu colega do Atlético de Madri, Vicente Calderón, elogiava também as virtudes deste valium coletivo:

— *O futebol é bom para que as pessoas não pensem em outras coisas mais perigosas.*

Em 1993 e 1994, vários dirigentes do futebol mundial foram denunciados, e até processados, por trapaças diversas. Pôs-se então em evidência, uma vez mais, que o futebol não só pode ser um esporte de evasão das tensões sociais, como também serve para a evasão de capitais e de impostos.

Ficaram muito para trás os tempos em que os times mais importantes do mundo pertenciam à torcida e aos jogadores. Em épocas já remotas, o presidente do time andava com uma lata e uma brocha, pintando com cal as linhas do campo, e o mais luxuoso esbanjamento dos dirigentes consistia numa comilança de comemoração num boteco do bairro. Hoje em dia, esses times são sociedades anônimas que manipulam fortunas contratando jogadores e vendendo espetáculos e estão acostumados a calotear o Estado, a enganar o público e a violar o direito trabalhista e todos os direitos. Estão também acostumados à impunidade. Não existe corporação multinacional mais impune do que a FIFA, que agrupa todos. A FIFA tem sua própria justiça. Como em *Alice no país das maravilhas*, essa justiça da injustiça profere a sentença primeiro e faz o processo mais tarde, pois sempre haverá tempo.

O futebol profissional funciona à margem do direito, num território sagrado onde dita suas próprias leis e desconhece as leis de todos os demais. Mas, por que o direito funciona à margem do futebol? É raro que os juízes se atrevam a mostrar cartão vermelho aos dirigentes dos grandes times, embora eles saibam muito bem que estes malabaristas da contabilidade fazem gols proibidos no erário público e deixam esparramadas pelo chão todas as regras do jogo limpo. Acontece simplesmente que os juízes também sabem que se arriscam a uma vaia feroz se tiverem rigor. O futebol profissional é intocável, porque é popular. "Os dirigentes roubam para nós", dizem, e acreditam, os torcedores.

Os escândalos recentes demonstraram que existem alguns juízes dispostos a desafiar esta tradição de impunidade e serviram, pelo menos, para revelar à opinião pública as acrobacias financeiras e jogos de máscaras que, com toda a naturalidade, alguns dos clubes mais ricos do mundo praticam.

O presidente do time italiano Perugia, que em 1993 foi acusado de comprar árbitros, contra-atacou denunciando:

— *Oitenta por cento do futebol está corrompido.*

Os especialistas coincidiram: ele deixou por menos. Todos os times importantes da Itália, do norte ao sul, do Milan e Turim até o Nápoles e o Cagliari, estão, uns mais, outros menos, metidos na fraude. Comprovou-se que seus balanços mentirosos escondem dívidas várias vezes superiores ao capital, que os dirigentes manipulam caixas dois, sociedades fantasmas e contas secretas na Suíça, que não pagam os impostos nem a previdência social, mas em troca pagam gordas contas por serviços que ninguém prestou, e que os jogadores costumam receber muito menos dinheiro do que o dinheiro que sai para eles da caixa e se desvia no caminho.

Truques idênticos são habituais entre os times mais notórios da França. Alguns dirigentes do Bordeaux foram denunciados por usurpação de fundos em proveito pessoal, e a cúpula do Olympique de Marselha foi submetida a processo pelo suborno de adversários. O Olympique, clube mais poderoso da França, foi rebaixado para a segunda divisão e perdeu seus títulos de campeão da França e campeão da Europa, quando se demonstrou que, em 1993, seus dirigentes tinham subornado, na véspera de uma partida, alguns jogadores do Valenciennes. O episódio acabou com a carreira esportiva e as ambições políticas do empresário Bernard Tapie, que acabou na bancarrota e foi condenado a um ano de prisão.

Ao mesmo tempo, o Legia, campeão da Polônia, perdeu seu título por ter *arranjado* duas partidas, e o Tottenham Hotspur, da Inglaterra, denunciou que lhe haviam exigido pagar uma comissão clandestina pela transferência de um jogador do Nottingham Forest. O clube inglês Luton, enquanto isso, estava sendo investigado por sonegação de impostos.

E simultaneamente estouraram vários escândalos da delinquência do futebol no Brasil. O presidente do Botafogo denunciou que os responsáveis pelo futebol carioca haviam manipulado sete partidas em 1993, e que assim tinham ganhado muito dinheiro com as apostas. Em São Paulo, outras denúncias revelaram que o mandachuva da federação de futebol local tinha ficado rico do dia para a noite, e a investigação de certas contas fantasma permitiu saber que sua súbita fortuna não provinha de uma vida consagrada ao nobre apostolado do esporte. E como se tudo isso fosse pouco, o presidente da Confederação Brasileira de Futebol, Ricardo Teixeira, foi denunciado aos tribunais por Pelé, que o acusou de enriquecimento ilícito na venda dos direitos de transmissão das partidas pela televisão. Como resposta ao pleito de Pelé, Havelange colocou Teixeira, que é seu genro, na cúpula da FIFA.

Quase dois mil anos antes de tudo isto, o patriarca bíblico que escreveu os *Atos dos apóstolos* contou a história de dois dos primeiros cristãos, Ananias e sua mulher Safira. Ananias e Safira tinham vendido um campo e mentido o preço. Quando Deus ficou sabendo da fraude, fulminou-os no ato.

Se Deus tivesse tempo para cuidar do futebol, quantos dirigentes continuariam vivos?

O Mundial de 94

Levantavam-se em armas os índios maias em Chiapas, o México profundo explodia na cara do México oficial e o subcomandante Marcos assombrava o mundo com suas palavras de humor e de amor.

Morria Onetti, o romancista das sombras da alma. Numa insegura pista europeia se arrebentava o brasileiro Ayrton Senna, campeão mundial de automobilismo. Sérvios, croatas e muçulmanos matavam-se uns aos outros na despedaçada Iugoslávia. Em Ruanda acontecia algo parecido, mas a televisão não falava de povos, mas de tribos, e mostrava a violência como se fosse coisa de negros.

Os herdeiros de Torrijos ganhavam as eleições no Panamá, quatro anos depois da sangrenta invasão e da inútil ocupação das tropas norte-americanas. As tropas norte-americanas retiravam-se da Somália, onde tinham combatido a fome a bala. A África do Sul votava em Mandela. Os comunistas, rebatizados de socialistas, venciam as eleições parlamentares na Lituânia, Ucrânia, Polônia e Hungria, que haviam descoberto que o capitalismo também tinha seus inconvenientes, mas a editora Progresso, de Moscou, que antes difundia as obras de Marx e de Lênin, passava a publicar as *Seleções do Reader's Digest*. Fontes bem-informadas de Miami anunciavam a queda iminente de Fidel Castro, que ia despencar em questão de horas.

Os escândalos da corrupção demoliam os partidos políticos italianos e o poder vazio era ocupado por Berlusconi, o novo-rico que exercia a ditadura da televisão em nome da diversidade democrática. Berlusconi culminava sua vitoriosa campanha com uma palavra de ordem roubada aos estádios de futebol, enquanto o décimo quinto Campeonato Mundial de Futebol era inaugurado nos Estados Unidos, pátria do beisebol.

A imprensa norte-americana deu pouca importância ao assunto, e o comentou mais ou menos assim: "Aqui o futebol é o esporte do futuro, e sempre será". Mas os estádios estiveram sempre repletos, apesar do sol que derretia as pedras. Para satisfazer a televisão europeia, as partidas mais importantes foram jogadas ao meio-dia, como tinha acontecido no Mundial de 86 no México.

Participaram treze seleções europeias, seis americanas, três africanas, a Coreia do Sul e a Arábia Saudita. Foram dados três pontos por vitória, em vez de dois, para desestimular os empates; e para desestimular a violência os juízes foram muito mais rigorosos: foram pródigos em advertências e expulsões durante todo o campeonato. Pela primeira vez os juízes vestiram roupas coloridas e pela primeira vez se autorizou entrada de um terceiro reserva em cada equipe, para substituir o goleiro contundido.

Maradona jogou seu último Mundial, e jogando foi uma festa até que caiu derrotado no laboratório que examinou sua urina depois de sua segunda partida. Sem ele, e sem o veloz Caniggia, a Argentina veio abaixo. A Nigéria ofereceu o futebol mais divertido da Copa. A Bulgária, o time de Stoichkov, ganhou o quarto lugar após deixar fora de combate a temível Alemanha. O terceiro lugar foi da Suécia. A Itália jogou a final contra o Brasil. Foi uma partida aborrecida, mas entre bocejo e bocejo, Romário e Baggio deram algumas lições de bom futebol. A prorrogação terminou sem gols. Na definição por pênaltis, o Brasil se impôs por 3 a 2 e se consagrou campeão do mundo. Uma história deslumbrante: o Brasil foi o único país que participou de todos os campeonatos mundiais, o único que foi campeão quatro vezes, o que ganhou mais partidas e o que fez mais gols.

Na Copa de 94, a lista de artilheiros foi encabeçada por Stoichkov, da Bulgária, e Salenko, da Rússia, com seis gols, seguidos pelo brasileiro Romário, o italiano Baggio, o sueco Andersson e o alemão Klinsmann, todos com cinco.

Romário

Vindo sabe-se de que região do ar, o tigre aparece, dá o seu bote e se esfuma. O goleiro, preso na sua jaula, não tem tempo nem de piscar. Num lampejo, Romário mete seus gols de meia-volta, de bicicleta, de voleio, de trivela, de calcanhar, de ponta ou de perfil.

Romário nasceu na miséria, na favela de Jacarezinho, mas desde menino ensaiava a assinatura para os muitos autógrafos que iria assinar na vida. Chegou à fama sem pagar os impostos da mentira obrigatória: este homem muito pobre deu-se sempre ao luxo de fazer o que queria, apreciador da noite, farrista, e sempre disse o que pensava sem pensar no que dizia.

Agora tem uma coleção de Mercedes Benz e 250 pares de sapatos, mas seus melhores amigos continuam sendo aqueles inapresentáveis busca-vidas que na infância ensinaram a ele o segredo do bote.

Baggio

Nestes últimos anos, ninguém ofereceu aos italianos um futebol tão bom, nem tanto assunto para conversa. O futebol de Roberto Baggio tem mistério: as pernas pensam por sua conta, o pé dispara sozinho, os olhos veem os gols antes que aconteçam.

Baggio é um grande rabo de cavalo que avança espantando gente, em elegante vaivém. Os rivais o acossam, mordem, batem duro. Baggio tem mensagens budistas escritas sob seu bracelete de capitão. O Buda não evita os pontapés, mas ajuda a aguentá-los. Com sua infinita serenidade, também ajuda a descobrir o silêncio além do estrépito das ovações e das vaias.

Numerozinhos

Entre 1930 e 1994, a América ganhou oito campeonatos mundiais e a Europa sete. O Brasil obteve o troféu quatro vezes, a Argentina duas, e o Uruguai duas. Em três oportunidades a Itália e a Alemanha foram campeãs; a Inglaterra só ganhou a Copa que disputou em casa.

No entanto, a Europa teve o dobro de possibilidades, pela presença esmagadoramente majoritária de suas seleções. Ao longo dos quinze mundiais, houve 159 oportunidades para as seleções europeias, e somente 77 para as americanas. Além disso, a esmagadora maioria dos árbitros foi europeia.

Diferentemente dos campeonatos mundiais, as copas intercontinentais de clubes deram as mesmas oportunidades às equipes da Europa e da América. Nestes torneios, onde competem os times e não as seleções nacionais, as equipes das Américas se impuseram vinte vezes, e as da Europa, treze.

O caso da Grã-Bretanha é o mais assombroso, neste assunto da desigualdade de direitos nos campeonatos mundiais de futebol. Segundo me explicaram na infância, Deus é um, mas é três: Pai, Filho e Espírito Santo. Nunca pude entender isso direito. E ainda não consigo entender, tampouco, por que a Grã-Bretanha é uma mas é quatro: Inglaterra, Escócia, Irlanda do Norte e País de Gales, enquanto a Espanha e a Suíça, por exemplo, continuam sendo apenas uma, apesar das diversas nacionalidades que as integram.

Seja como for, já começa a se quebrar o tradicional monopólio da Europa, que até agora o velho continente só dividiu, a duras penas, com a América. Até o Mundial de 94, a FIFA aceitava um ou outro país das demais regiões, como quem paga um imposto ao mapa-múndi. A partir do Mundial de 98, a quantidade de países participantes aumentará de 24 para 32. A Europa manterá sua injusta desproporção com a América, mas não terá outro remédio senão aceitar mais oportunidades de participação para os países ao sul do Saara, a África negra, com seu futebol alegre e veloz em plena explosão, e também para os países árabes e para os asiáticos, até agora condenados a olhar o futebol de fora, como os chineses, que foram os pioneiros, e os japoneses do *Império do Gol Nascente*.

A obrigação de perder

Para a seleção da Bolívia, ganhar a classificação para o Mundial de 94 foi como chegar à lua. Este país, encurralado pela geografia e maltratado pela história, tinha estado em outros mundiais, mas sempre por convite, e perdido todas as partidas sem fazer nenhum gol.

A tarefa do técnico Xabier Azkargorta estava dando frutos, e não só no estádio de La Paz, onde se joga sobre as nuvens, mas também ao nível do mar. O futebol boliviano demonstrava que a altura não era seu único grande jogador, e que podia muito bem perder o complexo que o obrigava a perder as partidas antes que começassem. Nas eliminatórias, a Bolívia brilhou. Melgar e Baldivieso, no meio-campo, e no ataque Sánchez e principalmente Etcheverry, chamado de *Diabo*, foram aplaudidos por públicos diversos e exigentes.

Quis a sorte, a má sorte, que à Bolívia coubesse inaugurar o Mundial enfrentando a todo-poderosa Alemanha. O Pequeno Polegar contra Rambo. Mas aconteceu o que ninguém teria podido prever: em vez de se encolher, assustada, na pequena área, a Bolívia se lançou ao ataque. Não jogou de igual para igual, não: jogou de maior para menor. A Alemanha, desconcertada, corria, e a Bolívia se divertia. E foi assim até que, a certa altura da partida, o astro boliviano Marco Antonio Etcheverry entrou na cancha e, um minuto depois, deu um pontapé absurdo em Matthaus e foi expulso. E então a Bolívia desmoronou, arrependida de ter pecado contra o destino que a obriga a perder, como se obedecesse a sabe-se lá qual secreta maldição vinda do fundo dos séculos.

O pecado de perder

O futebol eleva suas divindades e as expõe à vingança dos crentes. Com a pelota no pé e as cores pátrias no peito, o jogador que encarna a nação marcha para conquistar glórias em longínquos campos de batalha. Na volta, o guerreiro vencido é um anjo caído. Em 1958, no aeroporto de Ezeiza, as pessoas jogaram moedas nos jogadores da seleção argentina, que tinham feito má figura no Mundial da Suécia. No Mundial de 82, Caszely errou um pênalti e no Chile sua vida ficou impossível. Dez anos mais tarde, alguns jogadores da Etiópia pediram asilo às Nações Unidas, depois de perder por 6 a 1 do Egito.

Somos porque ganhamos. Se perdemos, deixamos de ser. A camisa da seleção nacional transformou-se no mais indubitável símbolo de identidade coletiva, e não só nos países pobres ou pequenos que dependem do futebol para figurar no mapa. Quando a Inglaterra foi eliminada nas preliminares do Mundial de 94, o *Daily Mirror*, de Londres, abriu título na primeira página, em corpo catástrofe: O FIM DO MUNDO.

No futebol, como em tudo o mais, é proibido perder. Neste fim de século, o fracasso é o único pecado que não tem redenção. Durante o Mundial de 94, um punhado de fanáticos queimou a casa de Joseph Bell, o goleiro derrotado de Camarões, e o jogador colombiano Andrés Escobar caiu crivado de balas em Medellín. Escobar tinha tido o azar de fazer um gol contra, tinha cometido um imperdoável ato de traição à pátria.

Culpa do futebol, ou culpa da cultura do sucesso e de todo o sistema de poder que o futebol profissional reflete e integra? Como esporte, o futebol não está condenado a gerar violência, embora às vezes a violência o use como válvula de escape. Não é por acaso que o assassinato de Escobar tenha ocorrido num dos países mais violentos do planeta. A violência não está nos genes do povo colombiano, povo que festeja a vida, louco por alegrias musicais e futebolísticas, que sofre a violência como doença, mas não a leva como marca indelével na testa. O sistema de poder, ao contrário, é sim um fator de violência: como em toda a América Latina, suas injustiças e humilhações envenenam a alma das pessoas, sua escala de valores recompensa quem não tem escrúpulos e sua tradicional impunidade estimula o crime e ajuda a perpetuá-lo como costume nacional.

Uns meses antes de começar o Mundial de 94, difundiu-se o relatório anual da Anistia Internacional. Segundo a Anistia, na Colômbia "centenas de pessoas foram executadas extraoficialmente pelas forças armadas e seus aliados paramilitares em 1993. A maioria das vítimas das execuções extrajudiciais eram pessoas sem relações políticas conhecidas".

O relatório da Anistia Internacional também denunciou a responsabilidade da polícia colombiana nas operações de *limpeza social*, eufemismo que encobre o extermínio sistemático de homossexuais, prostitutas, drogados, mendigos, doentes mentais e meninos de rua. A sociedade os chama de *descartáveis*, que é como dizer: lixo humano que merece a morte.

Neste mundo que castiga o fracasso, eles são os perdedores de sempre.

Maradona

Jogou, venceu, mijou, perdeu. A análise acusou a presença de efedrina e Maradona acabou de mau jeito seu Mundial de 94. A efedrina, que não é considerada droga estimulante no esporte profissional dos Estados Unidos e de muitos outros países, é proibida nas competições internacionais.

Houve estupor e escândalo. Os trovões da condenação moral ensurdeceram o mundo inteiro, mas mal ou bem se fizeram ouvir algumas vozes de apoio ao ídolo caído. E não só na sua dolorida e atônita Argentina, mas também em lugares tão longínquos como Bangladesh, onde uma manifestação numerosa rugiu nas ruas repudiando a FIFA e exigindo o retorno do expulso. Afinal de contas, julgá-lo era fácil, e era fácil condená-lo, mas não era tão fácil esquecer que Maradona vinha cometendo há anos o pecado de ser o melhor, o delito de denunciar de viva voz as coisas que o poder manda calar e o crime de jogar com a canhota, que segundo o *Pequeno Larousse Ilustrado* significa "com a esquerda" e também significa "o contrário de como se deve fazer".

Diego Armando Maradona nunca tinha usado estimulantes, nas vésperas das partidas, para multiplicar seu corpo. É verdade que se metera com cocaína, mas se dopava em festas tristes, para esquecer ou ser esquecido, quando já estava encurralado pela glória e não podia viver sem a fama que não o deixava viver. Jogava melhor do que ninguém, apesar da cocaína, e não por causa dela.

Estava esgotado pelo peso de sua própria personagem. Tinha problemas na coluna vertebral, desde o longínquo dia em que a multidão havia gritado seu nome pela primeira vez. Maradona carregava uma carga chamada Maradona, que fazia sua coluna estalar. O corpo como metáfora: suas pernas doíam, não podia dormir sem comprimidos. Não tinha demorado a perceber que era insuportável a responsabilidade de trabalhar como deus nos estádios, mas desde o princípio soube que era impossível deixar de fazê-lo. "Necessito que me necessitem", confessou, quando já tinha há muitos anos o halo na cabeça, submetido à tirania do rendimento sobre-humano, intoxicado de cortisona, analgésicos e ovações, acossado pelas exigências de seus devotos e pelo ódio dos que ofendera.

O prazer de derrubar ídolos é diretamente proporcional à necessidade de tê-los. Na Espanha, quando Goicoechea pegou-o por trás e sem a bola e o deixou fora das canchas por vários meses, não faltaram fanáticos que carregaram nos braços o culpado deste homicídio premeditado, e em todo o mundo não faltaram pessoas dispostas a comemorar a queda do arrogante argentininho intruso nos píncaros, o novo-rico que tinha fugido da fome e se dava ao luxo da insolência e da fanfarronice.

Depois, em Nápoles, Maradona foi Santa Maradonna e São Gennaro se transformou em São Gennarmando. Nas ruas vendiam-se imagens da divindade de calções, iluminada pela coroa da virgem ou envolta no manto sagrado do santo que sangra a cada seis meses, e também vendiam-se ataúdes dos times do norte da Itália e garrafinhas com lágrimas de Silvio Berlusconi. Os meninos e os cachorros usavam perucas de Maradona. Havia uma bola ao pé da estátua de Dante e o tritão da fonte vestia a camisa azul do Nápoles. Havia mais de meio século que o time da cidade não ganhava um campeonato, cidade condenada às fúrias do Vesúvio e à derrota eterna nos campos de futebol, e graças a Maradona, o sul obscuro tinha conseguido, finalmente, humilhar o norte branco que o desprezava. Campeonato atrás de campeonato, nos estádios italianos e europeus, o Nápoles vencia, e cada gol era uma profanação da ordem estabelecida e uma revanche contra a história. Em Milão odiavam o culpado desta afronta dos pobres que deixaram seu lugar, chamavam-no *presunto cacheados*. E não só em Milão: no Mundial de 90, a maioria do público castigava Maradona com furiosas vaias toda vez que tocava a bola, e a derrota argentina frente à Alemanha foi comemorada como uma vitória italiana.

Quando Maradona disse que queria ir embora de Nápoles, houve os que lhe lançaram pelas janelas bonecos de cera atravessados por alfinetes. Prisioneiro da cidade que o adorava e da camorra, a máfia dona da cidade, ele já estava jogando contra a vontade, no contrapé; e então, explodiu o escândalo da cocaína. Maradona transformou-se subitamente em Maracoca, um delinquente que se tinha feito passar por herói.

Mais tarde, em Buenos Aires, a televisão transmitiu o segundo acerto de contas: a detenção, ao vivo, como se fosse uma partida, para deleite dos que desfrutaram o espetáculo do rei nu que a polícia levava preso.

"É um doente", disseram. E disseram: "Está acabado". O messias convocado para redimir a maldição histórica dos italianos do sul tinha sido, também, o vingador da derrota argentina na guerra das Malvinas, mediante um gol velhaco e outro gol fabuloso, que deixou os ingleses girando como piões durante alguns anos; mas na hora da queda, o *Pibe* de Ouro não passou de um farsante cheirador e putanheiro. Maradona tinha traído os meninos e desonrado o esporte. Deram-no como morto.

Mas o cadáver levantou-se de um salto. Cumprida a penitência da cocaína, Maradona foi o bombeiro da seleção argentina, que estava queimando suas últimas possibilidades de chegar ao Mundial de 94. Graças a Maradona, chegou lá. E no Mundial, Maradona era outra vez, como nos velhos tempos, o melhor de todos, quando estourou o escândalo da efedrina.

A máquina do poder o tinha jurado. Ele lhe dizia de tudo, e isso tem seu preço, o preço se paga à vista e sem descontos. E o próprio Maradona ofereceu a justificativa, por sua tendência suicida de servir-se de bandeja na boca de seus muitos inimigos e por essa irresponsabilidade infantil que o impele a precipitar-se em todas as armadilhas que se abrem em seu caminho.

Os mesmos jornalistas que o pressionam com os microfones reprovam sua arrogância e suas zangas e o acusam de falar demais. Não lhes falta razão; mas não é isso que não podem perdoar nele: na verdade, não gostam do que às vezes diz. Este garoto respondão e esquentado tem o costume de lançar golpes para cima. Em 86 e em 94, no México e nos Estados Unidos, denunciou a ditadura onipotente da televisão, que obrigava os jogadores a extenuar-se ao meio-dia, esturricando-se ao sol, e em mil e uma ocasiões, ao longo de toda a sua acidentada carreira, Maradona disse coisas que mexeram em casa de marimbondos. Ele não foi o único jogador desobediente, mas foi sua voz que deu ressonância universal às perguntas mais insuportáveis: Por que o futebol não é regido pelas leis universais do direito do trabalho? Se é normal que qualquer artista conheça os lucros do show que oferece, por que os jogadores não podem conhecer as contas secretas da opulenta multinacional do futebol? Havelange se cala, ocupado com outros afazeres, e Joseph Blatter, burocrata da FIFA que nunca chutou uma bola mas anda em limusines de oito metros com motorista negro, limita-se a comentar:

– *O último astro argentino foi Di Stéfano.*

Quando Maradona foi, finalmente, expulso do Mundial de 94, os campos de futebol perderam seu rebelde mais clamoroso. E perderam também um jogador fantástico. Maradona é incontrolável quando fala, mas muito mais quando joga: não há quem possa prever as diabruras deste criador de surpresas, que jamais se repete e goza desconcertando os computadores. Não é um jogador veloz, tourinho de pernas curtas, mas leva a bola costurada no pé e tem olhos em todo o corpo. Seus malabarismos inflamam o campo. Ele pode resolver uma partida disparando um tiro fulminante de costas para o gol ou servindo um passe impossível, de longe, quando está cercado por milhares de pernas inimigas, e não há quem o pare quando se lança a driblar adversários.

No frígido futebol do fim de século, que exige ganhar e proíbe divertir-se, este homem é um dos poucos que demonstra que a fantasia também pode ser eficaz.

Eles não espetam nem cortam

No final de 1994, Maradona, Stoichkov, Bebeto, Francescoli, Landrup, Zamorano, Hugo Sánchez e outros jogadores começaram a trabalhar pela criação de um sindicato internacional de jogadores de futebol.

Até agora, os protagonistas do espetáculo brilharam por sua ausência nas estruturas de poder onde se tomam as decisões. Não têm o direito de dar nem um pio nos níveis de direção do futebol local, nem podem dar-se ao luxo de serem ouvidos nas cúpulas da FIFA, onde se corta o bacalhau em escala mundial.

Os jogadores, o que são? Micos de circo? Embora se vistam de seda, continuam micos? Nunca foram consultados na hora de decidir quando, onde e como se joga. A burocracia internacional altera as regras do futebol a seu gosto, sem que os jogadores tenham arte nem parte. E não podem nem mesmo saber quanto dinheiro produzem suas pernas, e onde vão parar essas fortunas fugitivas.

Depois de muitos anos de greves e mobilizações dos sindicatos locais, os jogadores conseguiram melhorar as condições de seus contratos, mas os comerciantes do futebol continuam a tratá-los como se fossem máquinas que se compram, se vendem e se emprestam:

– *Maradona é um investimento* – dizia o presidente do Nápoles.

Agora os clubes europeus, e alguns latino-americanos, têm psicólogos, como as fábricas: os dirigentes não lhes pagam para que ajudem às almas atribuladas, mas para que azeitem as máquinas e aumentem seu rendimento. Rendimento esportivo? Rendimento do trabalho: embora neste caso a mão de obra seja mais pé de obra, a verdade é que os jogadores profissionais dão sua força de trabalho às fábricas de espetáculos, que exigem deles a máxima produtividade em troca de um salário. A cotação depende do rendimento; e quanto mais pagam, mais exigem os dirigentes. Treinados para ganhar ou ganhar, sugados até à última caloria, exigem deles mais do que dos cavalos de corrida. Cavalos de corrida? O jogador inglês Paul Gascoigne prefere comparar-se a um frango de granja:

– *Nós, jogadores, somos frangos de granja: movimentos controlados, regras rígidas, comportamentos fixos que devem ser sempre repetidos.*

Em troca, os astros do futebol podem ganhar muito bem durante o tempo fugaz de seu esplendor. Os clubes pagam, agora, muito mais do que há vinte ou trinta anos, e eles podem vender seu nome e sua imagem à publicidade comercial. Mas, de todo modo, as proezas dos ídolos do futebol não são recompensadas com os tesouros fabulosos que as pessoas imaginam. A revista *Forbes* publicou a lista das quarenta figuras do esporte mundial que ganharam mais dinheiro em 1994. Entre elas aparece somente um jogador de futebol, o italiano Roberto Baggio, que ocupa um dos últimos lugares.

E os milhares e milhares de jogadores que não são astros? Os que não conseguem entrar no reino da fama e ficam dando voltas na porta giratória? De cada dez jogadores profissionais da Argentina, só três podem viver do futebol. Os salários não são grande coisa, principalmente levando em conta o pouco tempo que dura o ciclo de atividade dos jogadores: a canibal civilização industrial os devora num instante.

Uma indústria de exportação

Ao sul do mundo, este é o itinerário do jogador com boas pernas e boa sorte: de seu povoado passa para uma cidade do interior; da cidade do interior passa a um time pequeno da capital do país; na capital, o time pequeno não tem outra solução senão vendê-lo a um time grande; o time grande, asfixiado pelas dívidas, vende-o a um outro time maior de um país maior; e finalmente o jogador coroa sua carreira na Europa.

Nesta corrente, os clubes, os donos do passe e os intermediários ficam com a parte do leão. E cada elo confirma e perpetua a desigualdade entre as partes, do desamparo dos times de bairro nos países pobres até a onipotência das sociedades anônimas que administram na Europa o negócio do futebol em nível mais alto.

No Uruguai, por exemplo, o futebol é uma indústria de exportação, que despreza o mercado interno. A drenagem contínua de jogadores torna medíocre o esporte profissional e desanima o público, cada vez menos numeroso e menos fervoroso. As pessoas desertam dos estádios uruguaios e preferem ver partidas internacionais pela televisão. Quando chegam os campeonatos mundiais, nossos jogadores, espalhados pelos quatro ventos, conhecem-se no avião, jogam juntos por um momento e se despedem sem tempo para que a equipe se transforme numa verdadeira equipe, isto é: um só bicho de onze cabeças e vinte e duas pernas.

Quando o Brasil conquistou seu quarto troféu mundial, os jornalistas comemoraram por unanimidade, embora alguns não escondessem sua saudade das maravilhas de outros tempos. A equipe de Romário e Bebeto tinha feito um futebol eficaz, mas tinha sido bastante avara em poesia: um futebol muito menos brasileiro que aquele futebol esplêndido de 1958, 1962 e 1970, quando as seleções de Garrincha, Didi e Pelé se haviam coroado jogando em transe. Vários cronistas falaram em crise de talento, e vários comentaristas acusaram o estilo de jogo, vitorioso, mas sem magia, imposto pelo técnico: o Brasil tinha vendido sua alma ao futebol moderno. Mas há um fato também revelador, que quase não foi mencionado: aqueles times do passado eram formados por onze brasileiros que jogavam no Brasil. Na equipe de 94, oito dos onze jogavam na Europa. Romário, o jogador latino-americano mais cotado, estava ganhando na Espanha um salário maior que a soma dos onze salários, relativamente modestos, que ganhavam no Brasil os jogadores de 1958, entre os quais estavam alguns dos melhores artistas da história do futebol.

Os astros de antes eram identificados com um time local. Pelé era do Santos, Garrincha do Botafogo e Didi também, apesar de alguma fugaz experiência no exterior, e é impossível imaginá-los sem aquelas cores ou sem o amarelo da seleção nacional. Assim era no Brasil e em todas as partes, por amor à camisa ou por obra dos contratos de servidão feudal que até poucos anos prendiam o jogador por toda a vida. Na França, por exemplo, o time tinha direito de propriedade sobre o jogador até os 34 anos de idade: ficava livre quando já estava acabado.

Exigindo liberdade, os jogadores franceses se incorporaram às jornadas de maio de 68, quando as barricadas de Paris estremeceram o mundo. Eram liderados por Raymond Kopa.

O fim da partida

Rola a pelota, o mundo roda. Suspeita-se que o sol é uma bola acesa, que durante o dia trabalha e de noite brinca lá no céu, enquanto a lua trabalha, embora a ciência tenha dúvidas a esse respeito. Por outro lado, está comprovado, com toda a certeza, que o mundo gira em torno de uma bola que gira: a final do Mundial de 94 foi contemplada por mais de dois bilhões de pessoas, o público mais numeroso de todos os que se reuniram ao longo da história deste planeta. A paixão mais compartilhada: muitos adoradores da bola jogam com ela nos gramados e nos campos de terra, e muitíssimos mais integram a teleplateia que assiste, roendo as unhas, ao espetáculo proporcionado por 22 senhores de calção que perseguem a bola e, aos pontapés, demonstram seu amor.

No final do Mundial de 94, todos os meninos que nasceram no Brasil se chamaram Romário, e a grama do estádio de Los Angeles foi vendida em pedaços, como uma pizza, a vinte dólares a porção. Uma loucura digna de melhor causa? Um negócio vulgar e comum? Uma fábrica de truques manipulada por seus donos? Eu sou dos que acreditam que o futebol pode ser isso, mas também é muito mais do que isso, como festa dos olhos que o olham e como alegria do corpo que o joga. Uma jornalista perguntou à teóloga alemã Dorothee Sölle:

– *Como a senhora explicaria a um menino o que é a felicidade?*

– *Não explicaria* – respondeu. – *Daria uma bola para que jogasse.*

O futebol profissional faz todo o possível para castrar essa energia de felicidade, mas ela sobrevive apesar de todos os pesares. É talvez por isso que o futebol não pode deixar de ser assombroso. Como diz meu amigo Ángel Ruocco, isso é o melhor que tem: sua obstinada capacidade de surpresa. Por mais que os tecnocratas o programem até o mínimo detalhe, por muito que os poderosos o manipulem, o futebol continua querendo ser a arte do imprevisto. Onde menos se espera salta o impossível, o anão dá uma lição ao gigante, e o negro mirrado e cambaio faz de bobo o atleta esculpido na Grécia.

Um vazio assombroso: a história oficial ignora o futebol. Os textos de história contemporânea não o mencionam, nem de passagem, em países onde o futebol foi e continua sendo um símbolo primordial de identidade coletiva. Jogo, logo sou: o estilo de jogar é uma maneira de ser, que revela o perfil próprio de cada comunidade e reafirma seu direito à diferença. Diz-me como jogas que te direi quem és: há muitos anos que se joga o futebol de diversas maneiras, expressões diversas da personalidade de cada povo, e o resgate dessa diversidade me parece, hoje em dia, mais necessário do que nunca. Estes são tempos de uniformização obrigatória, no futebol e em tudo mais. Nunca o mundo foi tão desigual nas oportunidades que oferece e tão nivelador nos costumes que impõe: neste mundo de fim de século, quem não morre de fome morre de tédio.

Há muitos anos me senti desafiado pelo tema, memória e realidade do futebol, e tive a intenção de escrever algo que fosse digno desta grande missa pagã, que é capaz de falar tantas linguagens diferentes e pode desencadear tão universais paixões. Escrevendo, ia fazer com as mãos o que nunca tinha sido capaz de fazer com os pés: perna de pau irremediável, vergonha das canchas, eu não tinha outra solução senão pedir às palavras o que a bola, tão desejada, me tinha negado.

Desse desafio, e dessa necessidade de expiação, nasceu este livro. Homenagem ao futebol, celebração de suas luzes, denúncia de suas sombras. Não sei se ele é o que quis ser, mas sei que cresceu dentro de mim e chegou à sua última página e agora, já nascido, se oferece a vocês. E eu fico com essa melancolia irremediável que todos sentimos depois do amor e no fim do jogo.

Em Montevidéu, no verão de 1995.

Depois do livro

O Mundial de 98

Índia e Paquistão realizavam o sonho da bomba própria, querendo introduzir-se, muito à vontade, no exclusivo clube nuclear das grandes potências. As bolsas de valores asiáticas jaziam por terra e na Indonésia despencava a longa ditadura de Suharto, que perdia o poder, mas não perdia os dezesseis bilhões de dólares que o poder lhe outorgara.

O mundo se calava de Frank Sinatra, chamado *A Voz*. Onze países europeus chegavam a um acordo para pôr em circulação uma moeda única, chamada Euro. Fontes bem-informadas de Miami anunciavam a queda iminente de Fidel Castro, que ia despencar em questão de horas.

João Havelange abandonava o trono do futebol mundial e em seu lugar se instalava o delfim, Joseph Blatter, cortesão-mor do reino. Na Argentina, ia para a prisão o general Videla – que vinte anos antes havia inaugurado, junto com Havelange, o campeonato mundial de futebol –, enquanto um novo campeonato começava na França.

Apesar da greve da Air France, que complicou bastante as coisas, 32 seleções acorreram ao flamante estádio de Saint-Denis para disputar o último mundial do século: quinze equipes da Europa, oito da América, cinco da África, duas do Oriente Médio e duas da Ásia.

Clamores de triunfo, sussurros de velório: ao cabo de um mês de combates em estádios repletos, França, o anfitrião, e Brasil, o favorito, cruzaram espadas na final. O Brasil perdeu por 3 x 0. O croata Suker encabeçou a tabela dos goleadores, com seis tentos, seguido de Batistuta, da Argentina, e Vieri, da Itália, ambos com cinco.

Segundo um estudo científico publicado na época pelo *Daily Telegraph*, de Londres, durante as partidas os torcedores secretam quase tanta testosterona quanto os jogadores. Mas é preciso reconhecer que as empresas multinacionais também suam a camisa como se fosse camiseta. O Brasil não pôde ser pentacampeão. A Adidas, sim. Desde a Copa de 54, que a Adidas ganhou com a Alemanha, esta foi a quinta consagração das seleções que representam a marca das três barras. A Adidas levantou, com a França, o troféu mundial de ouro maciço; e conquistou, com Zinedine Zidane, o prêmio de melhor jogador. A empresa rival, a Nike, teve de se conformar com o segundo e o quarto lugares, obtidos pelas seleções do Brasil e da Holanda; e Ronaldo, a estrela da Nike, chegou doente à partida final. Uma empresa menor, a Lotto, fez a zebra com a surpreendente Croácia, que nunca participara de uma Copa do Mundo e, contra todos os prognósticos, entrou em terceiro.

Depois, a grama de Saint-Denis foi vendida em tabletes, como ocorrera no mundial anterior com o estádio de Los Angeles. O autor deste livro não vende leivas de grama, mas gostaria de oferecer, grátis, alguns tabletes de futebol que também têm algo a ver com aquele campeonato.

● *Estrelas*

Os mais famosos jogadores de futebol são produtos que vendem produtos. Ao tempo de Pelé, o jogador jogava; e isso era tudo, ou quase tudo. Ao tempo de Maradona, já em pleno apogeu da televisão e da publicidade massiva, as coisas haviam mudado. Maradona ganhou muito, e muito pagou: ganhou com as pernas, pagou com a alma.

Aos catorze anos, Ronaldo era um mulato pobre da periferia do Rio de Janeiro. Tinha dentes de coelho e pernas de grande goleador, mas não podia jogar no Flamengo porque o dinheiro não dava para o ônibus. Aos 22 anos, Ronaldo já faturava mil dólares por hora, incluídas as horas em que dormia. Acabrunhado pelo fervor popular e pela pressão da dinheirama, obrigado a brilhar sempre e a ganhar sempre, Ronaldo sofreu uma crise nervosa, com violentas convulsões, horas antes da definição do Mundial de 98. Dizem que a Nike o escalou à força na partida contra a França. O fato é que jogou e não jogou; e não pôde exibir como devia as virtudes do novo modelo de chuteiras, o R-9, que pelos seus pés a Nike estava lançando no mercado.

● *Preços*

No fim do século, os jornalistas especializados falam cada vez menos no talento dos jogadores e cada vez mais em suas cotações. Os dirigentes, os empresários, os procuradores e demais cortadores do bacalhau ocupam um espaço crescente nas crônicas futeboleiras. Até algum tempo atrás, os *passes* se referiam à viagem da bola de um jogador para outro; agora, os *passes* aludem, antes, à viagem do jogador de um clube para outro ou de um país para outro. Quanto estão rendendo os famosos em relação ao investimento? Os especialistas nos bombardeiam com o vocabulário da época: oferta, compra, opção de compra, venda, cessão por empréstimo, valorização, desvalorização. No Mundial de 98, as telas da TV universal foram invadidas e arrebatadas pela emoção coletiva, a mais coletiva das emoções; mas também foram vitrinas da exibição mercantil. Houve altas e baixas na bolsa das pernas.

• *Pé de obra*
Joseph Blatter, novo monarca do futebol, concedeu uma entrevista à revista brasileira *Placar*, em fins de 95, quando ainda era o braço direito de Havelange. O jornalista perguntou sua opinião sobre o sindicato internacional de jogadores, que estava a se formar.

– *A FIFA não fala com jogadores* – respondeu Blatter. – *Os jogadores são empregados dos clubes.*

Enquanto esse burocrata ostentava seu desprezo, surgia uma boa notícia para os atletas e para todos os que acreditamos na liberdade de trabalho e nos direitos humanos. A Suprema Corte de Luxemburgo, a mais alta autoridade judiciária da Europa, pronunciou-se a favor da demanda do futebolista belga Jean-Marc Bosman, e em sua sentença estabeleceu que os jogadores europeus tornam-se livres quando vencidos os contratos que os ligam aos clubes.

Posteriormente, a chamada Lei Pelé, promulgada no Brasil, foi também um passo importante para a quebra dos laços de servidão feudal: em muitos países, os jogadores integram o patrimônio dos clubes, que na maioria dos casos são empresas disfarçadas de "entidades sem fins lucrativos".

Às vésperas do Mundial de 98, o diretor técnico Pacho Maturana opinou:

– *Ninguém leva em conta os jogadores.*

E esta continua sendo uma verdade grande como uma casa e vasta como o mundo, embora se esteja a conquistar, por fim, a liberdade de contratação. Quanto mais alto é o nível profissional do futebol, para os jogadores mais se multiplicam seus deveres, sempre mais numerosos do que seus direitos: a aceitação das decisões alheias, a disciplina militar, os treinamentos extenuantes, as viagens incessantes, as partidas jogadas num dia sim no outro também, a obrigação de render cada vez mais...

Quando Winston Churchill chegou, tão campante, aos noventa anos de idade, um jornalista lhe perguntou qual o segredo de sua boa saúde. Churchill respondeu:

– *O esporte. Jamais o pratiquei.*

● *Anúncios*

No mundo atual, tudo o que se move e tudo o que está imóvel transmite alguma mensagem comercial. Cada jogador de futebol é um cartaz em movimento, mas a FIFA não permite que os jogadores portem mensagens de solidariedade social. Tamanho disparate está expressamente proibido. Julio Grondona, presidente do futebol argentino, lembrou e fez lembrar tal proibição, em 1997, quando alguns jogadores quiseram expressar em campo seu apoio às reivindicações de mestres e professores, que ganham salários de jejum perpétuo. Pouco antes, a FIFA castigara com uma multa o jogador inglês Robbie Fowler, pelo delito de inscrever em sua camiseta uma mensagem de adesão à greve dos operários dos portos.

● *Origens*

Por serem negros ou mulatos, padeceram de racismo muitas das mais cintilantes estrelas do futebol. Nos gramados, encontraram uma alternativa para o crime, ao qual tinham sido condenados pela média estatística, e assim puderam elevar-se à categoria de símbolos da ilusão coletiva.

Uma pesquisa recente, realizada no Brasil, mostra que dois de cada três jogadores profissionais não terminaram a escola primária. Muitos deles, a metade, têm pele negra ou mulata. Apesar da invasão da classe média, que nos últimos anos já se nota nos gramados, a realidade atual do futebol brasileiro não está longe daquela ao tempo de Pelé, que em sua infância roubava amendoins na estação de trem.

● *Africanos*

Njanka, jogador de Camarões, arrancou de trás, deixou pelo caminho toda a população da Áustria e fez o gol mais bonito do Mundial de 98. Mas Camarões não foi longe.

Quando a Nigéria derrotou, com seu futebol divertido, a seleção espanhola, que depois empatou com o Paraguai, o presidente da Espanha, José María Aznar, comentou que "até um nigeriano ou um paraguaio podem tomar teu lugar". Depois, quando a Nigéria foi embora da França, um comentarista argentino sentenciou:

– *São todos pedreiros, nenhum usa a cabeça para pensar.*

A FIFA, que outorga os prêmios *fair play*, não jogou limpo com a Nigéria: impediu-lhe de ser cabeça de chave, embora o futebol nigeriano viesse de conquistar o troféu olímpico.

As seleções da África negra cedo se despediram do campeonato mundial, mas muitos jogadores africanos ou netos de africanos deslumbraram na Holanda, na França, no Brasil e em outras equipes. Alguns locutores e comentaristas os chamavam *negrinhos*, embora nunca chamassem de *branquinhos* aos demais.

• *Fervores*

Em abril de 97, tombaram crivados de balas os guerrilheiros que ocupavam a embaixada do Japão na cidade de Lima. Quando os comandos irromperam, e num relâmpago executaram a espetacular carnificina, os guerrilheiros estavam jogando futebol. O chefe, Néstor Cerpa Cartolini, morreu vestindo as cores do Alianza, o clube de seus amores.

Poucas coisas ocorrem, na América Latina, que não tenham alguma relação, direta ou indireta, com o futebol. Festa compartilhada ou compartilhado naufrágio, o futebol ocupa um lugar importante na realidade latino-americana, às vezes o lugar mais importante, ainda que o ignorem os ideólogos que amam a humanidade e desprezam as pessoas.

• *Latino-americanos*

México jogou muito bem no Mundial de 98. Paraguai e Chile foram ossos duros de roer. Colômbia e Jamaica deram o que podiam. Brasil e Argentina deram bem menos do que podiam, manietados por um sistema de jogo avaro de alegria e de fantasia. Na equipe argentina, a alegria e a fantasia correram por conta de Ortega, mestre da cabriola e da firula, que em troca não é tão bom como ator de cinema, quando inventa de se atirar no chão.

• *Holandeses*

Entre equipes latino-americanas, verdade seja dita, a que mais gostei foi a Holanda. A seleção laranja mostrou um futebol vistoso, de bom toque e passes curtos, fruidor da bola. Esse estilo derivou, em grande parte, do aproveitamento de jogadores vindos da América do Sul: descendentes de escravos, nascidos no Suriname.

Não havia negros entre os dez mil torcedores que vieram da Holanda para a França, mas em campo sim havia. Vê-los foi uma festa: Kluivert, Seedorf, Reiziger, Winter, Bogarde, Davids. Davids, motor da equipe, joga e cria jogo: mete perna e mete bronca, pois não aceita que os futebolistas negros ganhem menos do que os brancos.

• *Franceses*

Foram imigrantes, ou filhos de imigrantes, quase todos os jogadores que vestiram a camiseta azul e cantaram a "Marselhesa" antes de cada partida. Thuram, elevado à categoria de herói nacional por dois golaços, Henry, Desailly, Viera e Karembeu vinham da África, das ilhas do Caribe ou de Nova Caledônia. Os demais provinham, em sua maioria, de famílias vascas, armênias ou argentinas.

Zidane, o mais aclamado, é filho de argelinos. *Zidane Presidente*, escreveram mãos anônimas, no dia da festa, no frontão do Arco de Triunfo. Presidente? Há muitos árabes, ou filhos de árabes, na França, mas nenhum é deputado. Ministro, nem falar.

Uma pesquisa publicada durante o Mundial confirmou que quatro de cada dez franceses têm preconceito racial. O dúplice discurso do racismo permite ovacionar os heróis e maldizer os demais. O troféu mundial foi festejado por uma multidão só comparável àquela que encheu as ruas, há mais de meio século, quando chegou ao fim a ocupação alemã.

● *Peixes*

Em 1997, um anúncio da televisão Fox Sports exortava a ver o futebol, prometendo: "Seja testemunha de como o peixe grande devora o peixe pequeno". Era um convite ao aborrecimento. Felizmente, no Mundial de 98, em mais de uma ocasião o peixe pequeno devorou o peixe grande, com espinhas e tudo. Isso é o que têm de bom, às vezes, o futebol e a vida.

A Copa de 2002

Tempo de quedas. Um atentado terrorista tinha derrubado as torres gêmeas de Nova York. O presidente Bush lançava sobre o Afeganistão uma chuva de mísseis e arrasava a ditadura dos talibãs, que seu papai e Reagan tinham incubado. A guerra contra o terrorismo abençoava o terror militar. Os tanques israelenses demoliam Gaza e a Cisjordânia, para que os palestinos continuassem pagando a conta do Holocausto que não haviam cometido.

O Homem-Aranha abatia os recordes de bilheteria da história do cinema. Fontes bem-informadas de Miami anunciavam a queda iminente de Fidel Castro, que ia se despencar em questão de horas. Em troca, desmoronava a Argentina, o país modelo, e vinham abaixo a moeda, o governo e todo o resto. Na Venezuela, um golpe de estado derrubava o presidente Chávez. O povo na rua restituía o destituído, mas a televisão venezuelana, campeã da liberdade de informação, não tomava conhecimento.

Rachando por suas próprias fraudes, vinha abaixo o gigante Enron, que tinha sido o contribuinte mais generoso para as campanhas de Bush e da maioria dos senadores norte-americanos. E caíam em cascata, pouco depois, as ações de outros monstros sagrados, WorldCom, Xerox, Vivendi, Merck, por culpa de alguns errinhos de milhares de milhões na contabilidade. Iam a pique as duas maiores sócias dos negócios da FIFA, as empresas ISL e Kirch; mas suas escandalosas quebras não impediam que Blatter fosse confirmado, por pesada maioria, no trono do futebol mundial. Nada como um dia depois do outro: a impunidade de Blatter, um mago na arte de esconder números e comprar votos, tinha transformado Havelange numa Irmã de Caridade.

E caiu também Bertie Felstead. Matou-o a morte. Felstead, o homem mais velho da Inglaterra, era o único sobrevivente de uma célebre partida de futebol que os soldados britânicos e alemães disputaram em plena guerra, no natal de 1915. O campo de batalha se transformou por um momento em campo de jogo, ao mágico influxo de uma bola vinda não se sabe de onde, até que os oficiais, aos gritos, lembrassem aos soldados que tinham obrigação de se odiar.

● ● ●

Trinta e duas seleções foram ao Japão e Coreia para disputar a décima sétima Copa do Mundo de futebol, nos estádios novos e deslumbrantes de vinte cidades.

Jogou-se a primeira Copa do novo milênio pela primeira vez em dois países e pela primeira vez na

Ásia. Crianças asiáticas, do Paquistão, costuraram para a Adidas a bola de alta tecnologia que se botou a rolar, na noite da inauguração, no estádio de Seul: uma câmara de látex, rodeada por uma malha de tecido coberta por espuma de gás, que tinha como pele uma camada branca de polímero com o símbolo do fogo. Uma bola feita para arrancar fortunas do gramado.

● ● ●

Foram duas copas mundiais de futebol. Numa jogaram os atletas de carne e osso. Na outra, ao mesmo tempo, jogaram os robôs. Os atletas mecânicos, programados por engenheiros, disputaram a RoboCup 2002 no porto japonês de Fukuoka, frente à costa coreana.

Qual é o sonho mais frequente dos empresários, dos tecnocratas, dos burocratas e dos ideólogos da indústria do futebol? No sonho, cada vez mais semelhante à realidade, os jogadores imitam os robôs.

Triste sinal dos tempos, o século XXI sacraliza a uniformidade em nome da eficiência e sacrifica a liberdade nos altares do sucesso. "A gente não ganha porque vale, a gente vale porque ganha", tinha comprovado, já faz alguns anos, Cornelius Castoriadis. Ele não se referia ao futebol, mas era como se. Proibido perder tempo, proibido perder: transformado em trabalho, submetido às leis da rentabilidade, o jogo deixa de brincar. Cada vez mais, como todo o resto, o futebol profissional parece regido pela UINBE (União de Inimigos da Beleza), poderosa organização que não existe mas manda.

Obediência, velocidade, força – e nada de firulas: este é o molde que a globalização impõe. Fabrica-se, em série, um futebol mais frio que uma geladeira. E mais implacável que uma centrífuga. Um futebol de robôs. Supõe-se que esta chateação é o progresso, mas o historiador Arnold Toynbee tinha passado por muitos passados quando comprovou: "A característica mais consistente das civilizações em decadência é a tendência à estandardização e à uniformidade".

● ● ●

Voltemos à Copa de carne e osso. Na partida inaugural, mais de uma quarta parte da humanidade assistiu, pela televisão, à primeira surpresa. A França, o país campeão da Copa anterior, foi vencido pelo Senegal, que tinha sido uma de suas colônias africanas e que participava pela primeira vez de uma Copa do Mundo. Contra todos os prognósticos, a França ficou pelo caminho na rodada inicial, sem fazer um único gol. Nas oitavas de final a Argentina, o outro grande favorito nas apostas, também partiu. E depois se foram a Itália e a Espanha, assaltados à mão armada pelos árbitros. Mas todos estes times poderosos foram vítimas principalmente da obrigação de ganhar e do terror de perder, que são irmãos gêmeos. As grandes estrelas do futebol tinham chegado à Copa oprimidas pelo peso da fama e da responsabilidade, e extenuadas pelo feroz ritmo de exigência dos clubes onde atuam.

Sem história nas copas, sem estrelas, sem a obrigação de ganhar nem o terror de perder, o Senegal jogou em estado de graça, e foi a revelação do campeonato. A China, o Equador e a Eslovênia, que também faziam seu batismo de fogo, ficaram pelo caminho na primeira rodada. O Senegal chegou invicto às quartas de final e não pôde ir além, mas seu bailado incessante nos devolveu uma verdade simples que os cientistas da bola costumam esquecer: o futebol é um jogo, e quem joga, quando joga para valer, sente alegria e dá alegria. Foi obra do Senegal o gol de que gostei mais em todo o torneio, passe de calcanhar de Thiaw, chute certeiro de Camara; e um de seus jogadores, Diouf, fez a maior quantidade de dribles, numa média de oito por partida, num campeonato onde esse prazer para os olhos parecia proibido.

A outra surpresa foi a Turquia. Ninguém acreditava. Levava meio século de ausência nos campeonatos mundiais. Em sua partida inicial, contra o Brasil, a seleção turca foi tungada pelo árbitro; mas continuou firme, e acabou conquistando o terceiro lugar. Seu futebol – muito brio, boa qualidade – deixou mudos os especialistas que o tinham desprezado.

Quase todo o resto foi um longo bocejo. Por sorte, em suas partidas finais, o Brasil lembrou que era o Brasil. Quando se soltaram, e jogaram à brasileira, seus jogadores escaparam da jaula de eficiente mediocridade onde o técnico, Scolari, os tinha trancado. Então seus quatro erres, Rivaldo, Ronaldo, Ronaldinho Gaúcho e Roberto Carlos, puderam se mostrar plenamente e, por fim, o Brasil pôde ser uma festa.

● ● ●

E foi campeão. Na véspera da final, 170 milhões de brasileiros espetaram salsichas alemãs com alfinetes, a Alemanha sucumbiu por 2 a 0. Era a sétima vitória brasileira em sete partidas. Os dois países tinham sido muitas vezes finalistas, mas nunca tinham se enfrentado numa Copa. Em terceiro lugar entrou a Turquia, e a Coreia do

Sul ficou em quarto. Traduzindo em termos de mercado, a Nike conquistou o primeiro e o quarto lugar e a Adidas obteve o segundo e o terceiro.

O brasileiro Ronaldo, ressuscitado ao cabo de uma longa lesão, encabeçou a lista de goleadores, com oito tentos, seguido por seu compatriota Rivaldo, com cinco, e pelo dinamarquês Tomasson e o italiano Vieri, com quatro gols cada um. O turco Sukur fez o gol mais veloz da história das copas, aos onze segundos de jogo.

Pela primeira vez na história, um goleiro, o alemão Oliver Khan, foi escolhido o melhor jogador do torneio. Pelo terror que inspirava nos rivais, parecia filho do outro Khan, Gengis. Mas não era.

A Copa do Mundo de 2006

Como de costume, os aviões da CIA andavam pelos aeroportos europeus, totalmente à vontade, sem autorização nem aviso nem nada, transportando presos até as salas de tortura distribuídas pelo mundo.

Como de costume, Israel invadia Gaza e, para resgatar um soldado sequestrado, sequestrava a sangue e fogo a soberania palestina.

Como de costume, cientistas advertiam que o clima estava enlouquecendo e que mais cedo ou mais tarde os polos se derreterão e os mares devorarão portos e praias, mas os enlouquecedores do clima, os envenenadores do ar seguiam, como de costume, surdos.

Como de costume, estava em gestação uma fraude para as próximas eleições no México, onde o cunhado do candidato da direita havia santamente preparado a base de dados para a contagem oficial dos votos.

Como de costume, fontes bem-informadas de Miami anunciavam a queda iminente de Fidel Castro, que iria sucumbir em questão de horas.

Como de costume, era confirmada a violação dos direitos humanos em Cuba: em Guantánamo, base militar norte-americana em território cubano, três dos muitos presos trancafiados sem acusação nem processo apareciam enforcados em suas celas, e a Casa Branca explicava que esses terroristas tinham se matado para chamar a atenção.

Como de costume, desencadeava-se um escândalo quando Evo Morales, o primeiro presidente indígena da Bolívia, nacionalizava o petróleo e o gás, cometendo assim o imperdoável crime de fazer o que havia prometido fazer.

Como de costume, a guerra continuava suas matanças no Iraque, país culpado por ter petróleo, enquanto a empresa Pandemic Studios, da Califórnia, anunciava o lançamento de um novo videogame no qual os heróis invadiam a Venezuela, outro país culpado por ter petróleo.

E os Estados Unidos ameaçavam invadir o Irã, país culpado por ter petróleo, porque o Irã queria a bomba atômica e isso era um perigo para a humanidade do ponto de vista do país que havia lançado as bombas atômicas sobre Hiroshima e Nagasaki.

Também Bruno era um perigo. Bruno, urso selvagem, havia escapado da Itália e andava fazendo bagunça pelos bosques germânicos. Ainda que ele não parecesse nem um pouco interessado em futebol, os agentes da ordem afastaram a ameaça executando-o a tiros na Baviera, pouco antes da inauguração da décima oitava Copa do Mundo...

• • •

Trinta e dois países de cinco continentes disputaram 64 partidas em doze imponentes, belos e funcionais estádios da Alemanha unificada: onze estádios do oeste e apenas um do leste.

Esta Copa esteve marcada pelos emblemas que as seleções levantaram no começo das partidas contra a peste universal do racismo.

O tema fervilhava. Às vésperas do torneio, o dirigente político francês Jean-Marie Le Pen proclamou que a França não se reconhecia nos seus jogadores porque eram quase todos negros e porque seu capitão, Zinedine Zidane, mais argelino do que francês, não cantava o hino. E o vice-presidente do Senado italiano, Roberto Calderoli, o apoiou dizendo que os jogadores da seleção francesa eram negros, islamitas e comunistas que prefeririam a "Internacional" à "Marselhesa" e Meca à Belém. Algum tempo atrás, o treinador da seleção espanhola, Luis Aragonés, havia chamado o jogador francês Thierry Henry de *negro de merda*, e o presidente perpétuo do futebol sul-americano, Nicolás Leoz, apresentou sua autobiografia dizendo que ele havia nascido *numa cidadezinha onde viviam trinta pessoas e cem índios.*

Um pouquinho antes de o torneio terminar, quase no final da final, Zidane, que estava se despedindo do futebol, investiu contra um adversário que lhe disse e repetiu alguns desses insultos que os energúmenos costumam berrar das arquibancadas dos estádios. O insultador ficou estirado no chão e Zidane, o insultado, recebeu um cartão vermelho do juiz e uma vaia do público que iria ovacioná-lo, e saiu para nunca mais voltar.

Mas essa foi a sua Copa. Ele foi o melhor jogador do torneio, apesar desse último ato de loucura, ou de justiça, conforme o ângulo. Graças às suas belas jogadas, graças à sua melancólica elegância, acreditamos que o futebol não está irremediavelmente condenado à mediocridade.

● ● ●

Nesse último jogo, pouco depois da expulsão de Zidane, a Itália se impôs sobre a França nos pênaltis e se consagrou campeã...

Até 1968, os jogos empatados eram decididos na base do cara ou coroa. Desde então, foram definidos nos pênaltis, que se parecem bastante com os caprichos do azar. A França havia jogado melhor do que a Itália, mas uns poucos segundos valeram mais do que duas horas de jogo. O mesmo havia ocorrido antes na partida em que a Argentina, superior à Alemanha, teve de voltar para casa.

● ● ●

Oito jogadores do clube italiano Juventus chegaram à final em Berlim: cinco jogando pela Itália e três pela França. E aconteceu a coincidência de o Juventus ser o time mais comprometido nas tramoias que vieram à tona nas vésperas da Copa. Das *mãos limpas* aos *pés limpos*: os juízes italianos comprovaram toda uma coleção de trapaças, compra de árbitros, compra de jornalistas, falsificação de contratos, adulteração de balanços, rateio de posições, manipulação da televisão... Entre os clubes implicados estava o Milan, de propriedade do virtuoso Silvio Berlusconi, que com tão exitosa impunidade praticara a fraude no futebol, nos negócios e no governo.

• • •

A Itália ganhou a sua quarta Copa e a França ficou em segundo lugar, seguida pela Alemanha e por Portugal, o que também se pode traduzir dizendo que a Puma triunfou sobre a Adidas e a Nike.

Miroslav Klose, da seleção alemã, foi o artilheiro, com cinco gols.

América e Europa ficaram empatadas: cada continente ganhou nove Copas do Mundo.

Pela primeira vez na história, o mesmo árbitro, o argentino Horacio Elizondo, deu o primeiro e o último apito, na abertura e na final. Demonstrou que havia sido bem escolhido.

Houve outros recordes, todos brasileiros. Ronaldo, gordo mas eficaz, foi o maior goleador da história das Copas, Cafu se transformou no jogador com mais partidas ganhas e o Brasil passou a ser o país com mais gols, nada menos que 201, e com mais vitórias consecutivas, nada menos que onze.

No entanto, o Brasil esteve na Copa de 2006, mas não foi visto. Ronaldinho, a superestrela, não ofereceu gols nem brilho, e a ira popular transformou a sua estátua, que media sete metros de altura, num monte de cinzas e de ferros retorcidos.

● ● ●

Este torneio terminou sendo uma Eurocopa, sem latino-americanos nem africanos nem ninguém que não fosse europeu nas etapas finais.

Salvo a seleção equatoriana, que jogou lindamente ainda que não tenha ido longe, foi uma Copa sem surpresas. Um espectador a resumiu assim:

– Os jogadores têm uma conduta exemplar. Não fumam, não bebem, não jogam.

Os resultados recompensaram isso que agora chamam de sentido prático. Viu-se pouca fantasia. Os artistas deram lugar aos levantadores de peso e aos corredores olímpicos, que ao passar chutavam uma bola ou um adversário.

Todos atrás, quase ninguém na frente. Uma muralha chinesa defendendo o gol e algum Cavaleiro Solitário esperando o contra-ataque. Até poucos anos atrás, os atacantes eram cinco. Agora só resta um, e nesse ritmo não ficará nenhum.

Como comprovou o zoólogo Roberto Fontanarrosa, o atacante e o urso panda são espécies em extinção.

A Copa do Mundo de 2010

Uma campanha internacional transformava o Irã no mais grave perigo para a humanidade, porque dizem que dizem que o Irã teria ou poderia ter armas nucleares, como se tivessem sido iranianos os que lançaram bombas atômicas sobre a população civil de Hiroshima e Nagasaki.

Israel metralhava, em águas internacionais, os navios que levavam à Palestina alimentos, remédios e brinquedos, num dos habituais atos criminosos que castigam os palestinos como se eles, que são semitas, fossem culpados pelo antissemitismo e seus horrores.

O Fundo Monetário, o Banco Mundial e numerosos governos humilhavam a Grécia, obrigando-na a aceitar o inaceitável, como se tivessem sido os gregos, e não os banqueiros de Wall Street, os responsáveis pela pior crise internacional desde 1929.

O Pentágono anunciava que os seus especialistas haviam descoberto no Afeganistão uma jazida de um bilhão de dólares em ouro, cobalto, cobre, ferro e, sobretudo, lítio, o cobiçado mineral imprescindível para os telefones celulares e os computadores portáteis, e o país invasor anunciava isso alegremente, como se, ao fim de quase nove anos de guerra e milhares de mortos, tivesse encontrado o que procurava de fato no país invadido.

Na Colômbia, aparecia uma vala comum com mais de dois mil mortos sem-nome que o exército havia jogado ali como se fossem guerrilheiros abatidos em combate, ainda que os moradores do lugar soubessem que eram militantes sindicais, ativistas comunitários e camponeses que defendiam as suas terras.

Uma das piores catástrofes ecológicas de todos os tempos transformava o golfo do México numa imensa poça de petróleo, e um mês e meio depois, o fundo do mar seguia sendo um vulcão de petróleo, enquanto a empresa British Petroleum assoviava e olhava para o outro lado, como se não tivesse nada a ver com isso.

Em vários países, uma enxurrada de denúncias acusava a Igreja Católica de abusos sexuais e violações de crianças, e por todo lado se multiplicavam os testemunhos que o medo havia reprimido durante anos e que, por fim, vinham à luz, enquanto algumas fontes eclesiásticas se defendiam dizendo que essas atrocidades ocorriam também fora da Igreja, como se isso a desculpasse, e que, em muitos casos, os sacerdotes tinham sido provocados, como se os culpados fossem as vítimas.

Fontes bem-informadas de Miami seguiam negando-se a acreditar que Fidel Castro seguisse vivinho da silva, como se ele não estivesse lhes dando novos desgostos a cada dia.

Perdíamos dois escritores sem suplentes, José Saramago e Carlos Monsiváis, e sentíamos falta deles como se não soubéssemos que seguirão ressuscitando entre os mortos, por mais que pareça impossível, pelo puro prazer de atormentar os donos do mundo.

E no porto de Hamburgo, uma multidão comemorava o retorno à primeira divisão alemã do clube de futebol Sankt Pauli, que conta com vinte milhões de simpatizantes, por mais que pareça impossível, congregados em torno das bandeiras do clube: não ao racismo, não ao sexismo, não à homofobia, não ao nazismo.

Enquanto longe dali, na África do Sul, era inaugurado o décimo nono campeonato mundial de futebol, sob o amparo de uma dessas bandeiras: não ao racismo.

● ● ●

Durante um mês, o mundo deixou de girar e muitos dos seus habitantes deixamos de respirar.

Nada atípico, porque isso ocorre a cada quatro anos, mas o atípico foi que esta foi a primeira Copa em terra africana.

A África negra, desprezada, condenada ao silêncio e ao esquecimento, pôde ocupar por um momento o centro da atenção universal, ao menos enquanto durou o campeonato.

Trinta e dois países disputaram a Copa em dez estádios que custaram uma dinheirama. E não se sabe como a África do Sul fará para manter em atividade esses gigantes de cimento, esbanjo multimilionário fácil de explicar, mas difícil de justificar num dos países mais injustos do mundo.

● ● ●

O estádio mais belo, em forma de flor, abre as suas imensas pétalas sobre a baía chamada Nelson Mandela.

Mandela foi o herói desta Copa. Uma homenagem mais do que merecida ao fundador da democracia naquele país. O seu sacrifício rendeu frutos que, de alguma forma, podem ser vistos no planeta inteiro. No entanto, na África do Sul, os negros continuam sendo os mais pobres e os mais castigados pela polícia e pelas pestes, e foram os negros, os mendigos, as prostitutas e os meninos de rua que, nas vésperas da Copa, foram escondidos para não dar má impressão para as visitas.

● ● ●

Ao longo do torneio, pôde-se ver que o futebol africano conservou a sua agilidade, mas perdeu desenvoltura e fantasia. Correu muito, mas dançou pouco. Há quem acredite que os técnicos das seleções, quase todos europeus, tenham contribuído para esse endurecimento. Se foi assim, pouco ajudaram um futebol que prometia tanta alegria.

A África sacrificou as suas virtudes em nome da eficácia, e a eficácia brilhou pela sua ausência. Um só país africano, Gana, ficou entre os oito melhores; e pouco depois, também Gana voltou para casa. Nenhuma seleção africana sobreviveu, nem sequer a do país anfitrião.

Muitos dos jogadores africanos, dignos da sua herança de bom futebol, vivem e jogam no continente que havia escravizado os seus avôs.

Numa das partidas da Copa, enfrentaram-se os irmãos Boateng, filhos de pai ganense: um vestia a camisa de Gana, e o outro, a camisa da Alemanha.

Dos jogadores da seleção de Gana, nenhum jogava no campeonato local.

Dos jogadores da seleção da Alemanha, todos jogavam no campeonato local da Alemanha.

Como a América Latina, a África exporta mão de obra e pé de obra.

● ● ●

Jabulani foi o nome da bola do torneio, ensaboada, meio louca, que fugia das mãos e desobedecia aos pés. Essa novidade da Adidas foi imposta no Mundial, mesmo que os jogadores não gostassem nem um pouquinho dela. Do seu castelo de Zurique, os senhores do futebol impõem, não propõem. Eles têm esse costume.

• • •

Os erros e os horrores cometidos por alguns árbitros colocaram mais uma vez em evidência o que o senso comum exige há muitos anos.

Aos gritos, o senso comum clama, sempre em vão, que o árbitro possa consultar os primeiros planos, registrados pelas câmeras, de jogadas decisivas que sejam duvidosas. A tecnologia permite, agora, que esse cotejo seja feito com a rapidez e a naturalidade com que se consulta outro instrumento tecnológico, chamado relógio, para medir o tempo de cada partida.

Todos os demais esportes, como o basquete, o tênis, o beisebol, a natação e até a esgrima e as corridas de automóvel, utilizam normalmente as ajudas eletrônicas. O futebol, não. E a explicação de seus amos seria cômica, se não fosse simplesmente suspeita: o erro faz parte do jogo, dizem, e nos deixam boquiabertos descobrindo que errare humanum est.

• • •

A melhor defesa do torneio não foi obra de um goleiro, mas de um goleador: o atacante uruguaio Luis Suárez deteve a escorregadia bola com as duas mãos, na linha do gol, no último minuto de uma partida decisiva.

Esse gol teria deixado o seu país fora da Copa: graças ao seu ato de patriótica loucura, Suárez foi expulso, mas o Uruguai não.

● ● ●

O Uruguai, que havia entrado na Copa em último lugar, depois de uma penosa classificação, jogou todo o campeonato sem se render nunca, e foi o único país latino-americano que chegou às semifinais. Alguns cardiologistas nos advertiram, pela imprensa, que o excesso de felicidade pode ser perigoso para a saúde. Muitos de nós, uruguaios, que parecíamos condenados a morrer de tédio, comemoramos esse risco, e as ruas do país viraram uma festa. Ao fim e ao cabo, o direito de festejar os próprios méritos é sempre preferível ao prazer que alguns sentem pela desgraça alheia.

O Uruguai terminou em quarto lugar, o que não é tão ruim para o único país que pôde evitar que esta Copa não passasse de uma Eurocopa.

Diego Forlán, nosso goleador, foi eleito o melhor jogador do torneio.

● ● ●

Ganhou a Espanha. Esse país, que nunca havia conquistado a taça mundial, ganhou com justiça, por obra e graça do seu futebol solidário, um por todos, todos por um, e pela assombrosa habilidade desse pequeno mago chamado Andrés Iniesta.

Holanda foi vice, depois de uma última partida em que traiu, aos pontapés, as suas melhores tradições.

• • •

    A campeã e a vice-campeã da Copa anterior voltaram para casa sem abrir as malas. Em 2006, Itália e França tinham se encontrado na partida final. Agora se encontraram na porta de saída do aeroporto. Na Itália, se multiplicaram as vozes críticas a um futebol jogado para impedir que o rival jogue. Na França, o desastre provocou uma crise política e acendeu as fúrias racistas, porque haviam sido negros quase todos os jogadores que cantaram a Marselhesa nos estádios sul-africanos.

    Outros favoritos, como a Inglaterra, tampouco duraram muito.

    Brasil e Argentina sofreram cruéis banhos de humildade. O Brasil estava irreconhecível, salvo nos momentos de liberdade que arrombaram a jaula do esquema defensivo. De que sofria este futebol para precisar de um remédio tão duvidoso?

    A Argentina foi goleada na sua última partida. Meio século antes, outra seleção argentina havia recebido uma chuva de moedas quando retornou de uma Copa desastrosa, mas desta vez foi bem recebida por uma multidão afetuosa. Ainda há pessoas que creem em coisas mais importantes do que o êxito ou o fracasso.

• • •

    Esta Copa confirmou que os jogadores se lesionam com reveladora frequência, triturados como estão pelo extenuante ritmo de trabalho que o futebol profissional impõe impunemente. Dirão que alguns ficaram ricos, e até riquíssimos, mas isso só é verdade para os mais cotados, que além de jogar dois ou mais jogos por semana, e além de treinar noite e dia, sacrificam à sociedade de consumo os seus escassos minutos livres vendendo cuecas, carros, perfumes e barbeadores e posando para as capas das revistas de luxo. E, ao fim e ao cabo, isso só prova que este mundo é tão absurdo que tem até escravos milionários.

● ● ●

Faltaram ao encontro duas das superestrelas mais anunciadas e esperadas. Lionel Messi quis comparecer, fez o que pôde, e algo foi visto. Dizem que Cristiano Ronaldo esteve lá, mas ninguém o viu: talvez estivesse muito ocupado vendo-se a si mesmo.

Mas uma nova estrela, inesperada, surgiu das profundidades dos mares e se elevou ao ponto mais alto do firmamento futebolístico. É um polvo que vive num aquário da Alemanha. Chama-se Paul, ainda que merecesse chamar-se Polvodamus.

Antes de cada jogo, formulava as suas profecias. Faziam-no escolher entre os mexilhões que levavam as bandeiras dos dois rivais. Ele comia os mexilhões do vencedor e não errava.

O oráculo octópode, que influenciou decisivamente nas apostas, foi ouvido no mundo futebolístico com religiosa reverência e foi amado e odiado e até caluniado por alguns ressentidos, como eu: quando anunciou que Uruguai perderia contra Alemanha, denunciei:

– Este polvo é um corrupto.

● ● ●

Quando o Mundial começou, pendurei na porta da minha casa um cartaz que dizia: Fechado devido ao futebol.

Quando o retirei, um mês depois, eu já havia jogado sessenta e quatro jogos, de cerveja na mão, sem me mover da minha poltrona preferida.

Essa proeza me deixou moído, com os músculos doloridos e a garganta arrebentada; mas já estou sentindo saudades. Já começo a sentir falta da insuportável ladainha das vuvuzelas, da emoção dos gols não recomendados para cardíacos, da beleza das melhores jogadas repetidas em câmera lenta. E também da festa e do luto, porque às vezes o futebol é uma alegria que dói, e a música que comemora alguma vitória dessas que fazem os mortos dançar soa muito parecida ao clamoroso silêncio do estádio vazio, onde algum vencido, sozinho, incapaz de se mover, espera sentado em meio às imensas arquibancadas sem ninguém.

A Copa do Mundo de 2014

Há um longo século, o poeta Antonio Machado havia caçoado dos numerosos néscios que confundem valor e preço:

– Diga-me quanto você custa e lhe direi quanto vale.

Mas eis que os especialistas avaliaram em 916 milhões de dólares a seleção espanhola na Copa de 2014, e a Espanha terminou sendo, ai, a primeira seleção eliminada ainda no início do campeonato.

● ● ●

O futebol é a organização mais poderosa do mundo, afirmou Joseph Blatter, amo supremo, na cerimônia de abertura do Congresso da FIFA, e em plena explosão de euforia anunciou que "algum dia nosso esporte terá torneios interplanetários".

Ao mesmo tempo, informou que as reservas do negócio já chegaram a 1,432 milhão de dólares.

● ● ●

Não se pode dizer que a coisa vá mal, que a verdade seja dita. A FIFA isenta de impostos o McDonald's, a Coca-Cola e outros generosos patrocinadores, mas embolsa fortunas com a venda de direitos às emissoras de tevê e com os subornos fabulosos que recebe por oferecer sedes para os próximos campeonatos.

Estima-se que o troféu de 2014, disputado em plena crise universal, deixará lucros limpos superiores a 1,8 bilhão de dólares.

● ● ●

Este está sendo o campeonato mais caro da história e também o que está deixando a maior quantidade de jogadores lesionados.

Por que se transformaram em hospitais os campos de futebol? A resposta é simples: salvo os jogadores que brilham no topo do céu, a quase totalidade dos demais vivem submetidos a um regime de trabalho que evoca os tempos da escravidão, sem sindicatos que os defendam e ganhando salários que estão por baixo do mínimo dos mínimos. E isso em um Brasil onde estão crepitando os vulcões da indignação popular ante o desperdício de construções faraônicas em contraste com as verbas destinadas à saúde e ao ensino públicos.

● ● ●

Até 2014, era impossível imaginar que o futebol, conhecido como *soccer* nos Estados Unidos, pudesse concorrer em popularidade com o beisebol, o basquete ou o hockey, mas os ventos desta Copa sopraram com força imprevisível, e as pesquisas indicam que este campeonato incorporou mais de seis milhões de novos fanáticos a este esporte que faz aflorar paixões semelhantes a uma religião universal.

Bem-vindos à festa.

As fontes

Aguirre, José Fernando. *Ricardo Zamora*. Barcelona: Clíper, 1958.

Alcântara, Eurípedes. *A Eficiência da Retranca,* e outros artigos, por Marcos Sá Correia, Maurício Cardoso e Roberto Pompeu de Toledo, na edição extra da revista "Veja". São Paulo: 18 de julho de 1994.

Altafini, José. *I magnifici 50 del calcio mondiale*. Milão: Sterling & Kupfer, 1985.

Anuario mundial de football profesional. Buenos Aires, junho de 1934, ano 1, nº 1.

Archetti, Eduardo P. *Estilo y Virtudes Masculinas en "El Gráfico"* la creación del imaginario del fútbol Argentino. Universidade de Oslo, Departamento de Antropologia Social.

Arcucci, Daniel. *Mágicos templos del fútbol*. Na revista "El Gráfico". Buenos Aires, 20 de março de 1991.

Arias, Eduardo *et alii*. *Colombia gol*. De Pedernera a Maturana. Grandes momentos del fútbol. Bogotá: Cerec, 1991.

Associação do Futebol Argentino. *Cien años con el fútbol*. Buenos Aires: Zago, 1993.

Associazione Italiana Arbitri. *75 anni di storia*. Milão: Vallardi, 1987.

Barba, Alejandro. *Foot Ball, Base Ball y Lawn Tennis*. Barcelona: Soler, s/d.

Bartissol, Charles et Cristophe. *Les racines du football français*. Paris: Pac, 1983.

Bayer, Osvaldo. *Fútbol argentino*. Buenos Aires: Sudamericana, 1990.

Benedetti, Mario. *Puntero izquierdo*, na antologia de vários autores *Hinchas y goles. El fútbol como personaje*. Buenos Aires: Desde la gente, 1994.

Blanco, Eduardo. *El negocio del fútbol*. Na revista "La Maga". Buenos Aires: 7 de dezembro de 1994.

Boix, Jaume; Espada, Arcadio. *El deporte del poder*. Madrid: Temas de hoy, 1991.

Boli, Basile. *Black Boli*. Paris: Grasset, 1994.

Brie, Christian de. *Il calcio francese sotto i piedi dei mercanti*. Na edição italiana de "Le Monde Diplomatique", publicada por "Il Manifesto". Roma, junho de 1994.

Bufford, Bill. *Among the thugs, The experience, and the seduction, of crowd violence*. Nova York: Norton, 1992.

Camus, Albert, testemunho publicado na antologia *Su Majestad el fútbol*, de Eduardo Galeano. Montevidéu: Arca, 1968.

_____. *Le primer homme*. Paris: Gallimard, 1994.

Cappa, Ángel. *Fútbol, un animal de dos patas*. Na revista "Disenso", nº 7. Las Palmas, de Gran Canaria.

Carías, Marco Virgilio, com Daniel Slutzky. *La guerra inútil*. Análisis socio-económico del conflicto entre Honduras y El Salvador. São José da Costa Rica: EDUCA, 1971.

Cepeda Samudio, Álvaro. *Garrincha*, em *Alrededor del fútbol*. Universidade de Antioquia: Medellín, 1994.

Cerretti, Franco. *Storia illustrata dei Mondiali di Calcio*. Roma: Anthropos, 1986.

Comissão de assuntos históricos. *La historia de Vélez Sarsfield (1910/1980)*. Buenos Aires, 1980.

Coutinho, Edilberto. *Maracanã, adeus*. Havana: Casa de las Américas, 1980.

Decaux, Sergio. *Peñarol campeón del mundo*, Colección 100 Años de Fútbol, nº 21. Montevidéu, 1970.

Délano, Poli. *Hinchas y goles (antología)*. Buenos Aires: Desde la gente, 1994.

Duarte, Orlando. *Todas las Copas del Mundo*. Madrid: McGraw-Hill, 1993.

Dujovne Ortiz, Alicia. *Maradona sono io*. Un viaggio alla scoperta di una identità. Nápoles: Edizioni Scientfiche Italiane, 1992.

Dunning, Eric *et alii*. *The roots of football hooliganism*. Londres/Nova York: Routledge and Kegan Paul, 1988.

Entrevista con cuatro integrantes de la "barra brava" del club Nacional. No jornal "La República". Montevidéu, 1º de dezembro de 1993.

Escande, Enrique. Nolo. *El fútbol de la cabeza a los pies.* Buenos Aires: Ukumar, 1992.

Faria, Octavio de *et alii. O Olho na Bola.* Rio de Janeiro: Gol, 1968.

Felice, Gianni de. *Il giallo della FIFA.* Na revista "Guerin Sportivo", 25 de janeiro de 1995.

Fernández, José Ramón. *El fútbol mexicano*: ¿Un juego sucio?. México: Grijalbo, 1994.

Ferreira, Carlos. *A mi juego...* Buenos Aires: La Campana, 1983.

Filho, Mário. *O Romance do Foot-ball.* Rio de Janeiro: Pongetti, 1949.

Galiacho, Juan Luis. *Jesús Gil y Gil, el gran comediante.* Madrid: Temas de hoy, 1993.

Gallardo, César L., e outros. *Los maestros.* Na Colección 100 Años de Fútbol, nº 12, Montevidéu, 1970.

García-Candau, Julián. *El fútbol sin ley.* Madrid: Penthalon, 1981.

_____. *Épica y lírica del fútbol.* Madrid: Alianza, 1995.

Geronazzo, Argentino. *Técnica y táctica del fútbol.* Buenos Aires: Lidiun, 1980.

Gispert, Carlos *et alii. Enciclopedia mundial del fútbol*, 6 volumes, Barcelona: Océano, 1983.

Goethals, Raymond. *Le douzième homme.* Paris: Laffont, 1994.

Guevara, Ernesto. *Mi primer gran viaje.* Buenos Aires: Seix Barral, 1994.

Gutiérrez Cortinas, Eduardo. *Los negros en el fútbol uruguayo.* Na Colección 100 Años de Fútbol, nº 10. Montevidéu, 1970.

Havelange, João, entrevista com Simon Barnes no jornal "The Times", Londres, 15 de fevereiro de 1991.

_____. Discurso pronunciado perante a Câmara de Comércio Brasil-EUA, em Nova York, a 27 de outubro de 1994. Publicado pela revista "El Gráfico". Buenos Aires, 8 de novembro de 1994.

Hernández Coronado, Pablo. *Las cosas del fútbol*. Madrid: Plenitud, 1955.

Herrera, Helenio. *Yo*. Barcelona: Planeta, 1962.

Hirschmann, Micael; Lerner, Kátia. *Lance de Sorte*. O Futebol e o Jogo do Bicho na Belle Époque Carioca. Rio de Janeiro: Diadorim, 1993.

Historia de la Copa del Mundo, série de vídeodocumentários e edições especiais da revista "El Gráfico". Buenos Aires, 1994.

Historia del fútbol, três vídeodocumentários de Transworld International. Metrovideo, Madrid, 1991.

Homenaje al fútbol argentino, vários autores. Edição especial da revista "La Maga". Buenos Aires, janeiro/fevereiro de 1994.

Howe, Don; Scovell, Brian. *Manual de fútbol*. Barcelona: Martínez Roca, 1991.

Hübener, Karl Ludolf *et alii*. *Nunca más campeón mundial?* Seminario sobre fútbol, deportes y política en el Uruguay. Montevidéu: Fesur, 1990.

Huerta, Héctor. *Héroes de consumo popular*. Guadalajara: Ágata, 1992.

Ichah, Robert. *Platini*. Paris: Inéditions, 1994.

Lago, Alessandro Dal. *Descrizione di una battaglia*. I rituali del calcio. Bolonha: Il Mulino, 1990.

_____. com Roberto Moscati. *Regalateci un sogno*. Miti e realtà del tifo calcistico in Italia. Milão: Bompiani, 1992.

_____. com Pier Aldo Rovatti. *Per gioco*. Píccolo manuale dell'esperienza ludica. Milão: Cortina, 1993.

Lazzarini, Marta; Luppi, Patricia. *Reportaje a Roberto Perfumo*. No "Boletín de temas de psicologia social", ano 2, nº 5. Buenos Aires, setembro de 1991.

Lever, Janet. *La locura por el fútbol*. México: FCE, 1985.

Lezioni di Storia, série de quatro suplementos do jornal "Il Manifesto". Roma, junho/julho de 1994.

Loedel, Carlos. *Hechos y actores del profesionalismo*. Na Colección 100 Años de Fútbol, nº 14. Montevidéu, 1970.

Lombardo, Ricardo. *Donde se cuentam proezas.* Fútbol uruguayo (1920/1930). Montevidéu: Banda Oriental, 1993.

Lorente, Rafael. *Di Stéfano cuenta su vida.* Madrid: s/e, 1954.

Lorenzo, Juan Carlos; Castelli, Jorge. *El fútbol en un mundo de cambios.* Buenos Aires: Freeland, 1977.

Lucero, Diego. *La boina fantasma,* na Colección 100 Años de Fútbol, nº 20. Montevidéu, 1970.

Marelli, Roberto. *Estudiantes de la Plata, campeón intercontinental.* Buenos Aires: Norte, 1978.

_____. *O Negro no Futebol Brasileiro.* Rio de Janeiro: Civilização Brasileira, 1964.

_____. *Histórias do Flamengo.* Rio de Janeiro: Record, 1966.

_____. *O Sapo de Arubinha.* São Paulo: Companhia das Letras, 1994.

Martín, Carmelo. *Valdano.* Sueños de fútbol. Madrid: El País/Aguilar, 1994.

Maturana, Francisco, com José Clopatofsky. *Talla mundial.* Bogotá: Intermedio, 1994.

Mercier, Joseph. *Le football.* Paris: Presses Universitaires, 1979.

Meynaud, Jean. *Sport et politique.* Paris: Payot, 1966.

Milá, Mercedes. *La violencia en el fútbol,* no programa "Queremos saber". Madrid, Antena 3 de Televisão, janeiro de 1993.

Minà, Gianni. *Le vie del calcio targate Berlusconi.* No jornal "La Repubblica". Roma, 6 de maio de 1988.

_____. *I padroni del calcio. La Federazione s'é fatta holding.* No jornal "La Repubblica". Roma, 19 de julho de 1990.

_____. com outros membros do Comitê "La classe non è acqua", *Te Diegum.* Milão: Leonardo, 1991.

Morales, Franklin. *Historia de Nacional* e *Historia de Peñarol,* série de suplementos do jornal "La Mañana". Montevidéu, 1989.

_____. *Fútbol, mito y realidad.* Na coleção Nuestra Tierra, nº 22. Montevidéu, 1969.

_____. *Los albores del fútbol uruguayo,* na Colección 100 Años de Fútbol, nº 1. Montevidéu, 1969.

_____. *La gloria tan temida,* na Colección 100 Años de Fútbol, nº 2. Montevidéu, 1969.

_____. *Enviado especial (I).* Montevidéu: Banco de Boston, 1994.

Morris, Desmond. *The soccer tribe.* Londres: Jonathan Cape, 1981.

Moura, Roberto, testemunhos de Domingos da Guia e de Didi em *Pesquisa de Campo.* Universidade do Estado do Rio de Janeiro, junho de 1994.

Mura, Gianni. *Il calcio dei boia.* No jornal "La Repubblica". Roma, 29 de novembro de 1994.

Nogueira, Armando *et alii. A Copa que Ninguém Viu e a que Não Queremos Lembrar.* São Paulo: Companhia das Letras, 1994.

Orwell, George, e outros autores. *El fútbol.* Buenos Aires: Jorge Alvarez, 1967.

Ossa, Carlos. *La historia de Colo-Colo.* Santiago do Chile: Plan, 1971.

Panzeri, Dante. *Fútbol, dinámica de lo impensado.* Buenos Aires: Paidós, 1967.

Papa, Antonio; Panicc, Guido. *Storia sociale del calcio in Italia.* Bolonha: Il Mulino, 1993.

Pawson, Tony. *The goalscorers, from Bloomer to Keegan.* Londres: Cassell, 1978.

Pedrosa, Milton. *Gol de Letra (antologia).* Rio de Janeiro: Gol, s/d.

Pepe, Osvaldo *et alii. El libro de los Mundiales.* Buenos Aires: Crea, 1978.

Perdigão, Paulo. *Anatomia de uma Derrota.* Porto Alegre: L&PM, 1986.

Peucelle, Carlos. *Fútbol todo tiempo e historia de "La Máquina".* Buenos Aires: Axioma, 1975.

Pippo, Antonio. *Obdulio desde el alma.* Montevidéu: Fin de Siglo, 1993.

Platini, Michel, com Patrick Mahé. *Ma vie comme un match.* Paris: Laffont, 1987.

Ponte Preta, Stanislaw. *Bola na Rede:* a Batalha do Bi. Rio de Janeiro: Civilização Brasileira, 1993.

Poveda Márquez, Fabio. *El Pibe*. De Pescaíto a la gloria. Bogotá: Intermedio, 1994.

Puppo, Julio César, "El hachero". *Nueve contra once*. Montevidéu: Arca, 1976.

_____. *Crónicas de fútbol*. Montevidéu: Enciclopedia Uruguaya, 1969.

Rafael, Eduardo. *Memoria:* José Manuel Moreno. Na revista "El Toque". Buenos Aires, 17 de março de 1994.

Ramírez, Miguel Ángel. *Los cachirules:* la historia detrás de la nota. Na Revista Mexicana de Comunicação, nº 1. México, setembro/outubro de 1988.

_____. *Emilio Maurer contra Televisa, una batalla épica en el fútbol local*. No jornal "La Jornada". México, 7 a 12 de dezembro de 1993.

Reid, Alastair. *Ariel y Calibán*. Bogotá: Terceiro Mundo, 1994.

Ribeiro, Péris. *Didi, o Gênio da Folha Seca*. Rio de Janeiro: Imago, 1993.

Rocca, Pablo. *Literatura y fútbol en el Uruguay (1899/1990)*. Montevidéu: Arca, 1991.

Rodrigues, Nelson. *À Sombra das Chuteiras Imortais*. São Paulo: Companhia das Letras, 1993.

_____. *A Pátria de Chuteiras*. São Paulo: Companhia das Letras, 1994.

_____. com Mário Filho. *Fla-Flu*. Rio de Janeiro: Europa, 1987.

Rodríguez Arias, Miguel. *Diego*. Documentário de vídeo. Buenos Aires: Las Patas de la Mentira, 1994.

Rodríguez, Nelson. *El fútbol como apostolado*. Montevidéu: Juventus/Colegio de Escribanos, 1995.

Rowles, James. *El conflicto Honduras-El Salvador (1969)*. São José da Costa Rica: EDUCA, 1980.

Ruocco, Ángel. *Grandes equipos italianos em zozobra*. Artigo da agência Ansa, publicado no jornal "El País". Montevidéu, 16 de janeiro de 1994.

Ryswick, Jacques de. *100.000 heures de football*. Paris: La Table Ronde, 1962.

Salvo, Alfredo di. *Amadeo Carrizo*. Buenos Aires: s/e, 1992.

Sanz, Tomás; Fontanarrossa, Roberto. *Pequeño diccionario ilustrado del fútbol argentino*. Buenos Aires: Clarín/Aguilar, 1994.

Sasía, José. *Orsai en el paraíso*. Montevidéu: La Pluma, 1992.

Saldanha, João. *Meus Amigos*. Rio de Janeiro: Nova Mitavaí, 1987.

_____. *Futebol e Outras Histórias*. Rio de Janeiro: Record, 1988.

Scliar, Salomão (ed.) *et alii*. *A História Ilustrada do Futebol Brasileiro* (4 volumes). São Paulo: Edobras, s/d.

Scher, Ariel; Palomino, Héctor. *Fútbol:* pasión de multitudes y de élites. Buenos Aires: Cisea, 1988.

Schumacher, Harald. *Der anpfiff*. Enthüllungen über den deutschen fussball. Munique: Knaur, 1987.

Scopelli, Alejandro. *Hola, mister!* El fútbol por dentro. Barcelona: Juventud, 1957.

Seguí, J.A. Fernández. *La preparación física del futbolista europeo*. Madrid: Sanz Martínez, 1977.

Seiherfeld, Alfredo; Servín Fabio, Pedro. *Álbum fotográfico del fútbol paraguayo*. Assunção: Editorial Histórica, 1986.

Shakespeare, William. *The comedy of errors*. Londres: Methuen, 1907.

_____. *King Lear*. Londres: Samuel French, 1967.

Shaw, Duncan. *Fútbol y franquismo*. Madrid: Alianza, 1987.

Silva, Thomaz Soares de. *Zizinho, o Mestre Ziza*. Rio de Janeiro: Maracanã, 1985.

Simson, Vyv; Jennings, Andrew. *Dishonored games*. Corruption, money and greed at the Olympics. Nova York: Shapolsky, 1992.

Smorto, Giuseppe. *Nazione corrotta, calcio infetto*. No jornal "La Repubblica". Roma, 26 de março de 1993.

Sobrequés, Jaume. *Historia del Fútbol Club Barcelona*. Barcelona: Labor, 1994.

Soriano, Osvaldo. *Cuentos de los años felices*. Buenos Aires: Sudamericana, 1994.

Souza, Roberto Pereira de. *O Poderoso Chefão*, na edição brasileira da revista "Playboy", maio de 1994.

Stárostin, Andréi. *Por esas canchas de fútbol*. Moscou: Lenguas Extranjeras, 1959.

Suburú, Nilo J. *Al fútbol se juega así*. Catorce verdades universales. Montevidéu: Tauro, 1968.

_____. *Primer diccionario del fútbol*. Montevidéu: Tauro, 1968.

Teissie, Justin. *Le football*. Paris: Vigot, 1969.

Termes, Josep *et alii*. *Onze del Barca*. Barcelona: Columna, 1994.

Thibert, Jacques. *La fabuleuse histoire du football*. Paris: Odil, 1974.

Traverso, Jorge. *Primera línea*. Montevidéu: Banco de Boston, 1992.

Uriarte, María Teresa *et alii*. *El juego de pelota en Mesoamérica*. Raíces y supervivencia. México: Siglo XXI, 1992.

Valdano, Jorge. *Las ocurrencias de Havechange*. No jornal "El País". Madrid: 28 de maio de 1990.

Verdú, Vicente. *El fútbol*. Mitos, ritos y símbolos. Madrid: Alianza, 1980.

Vinnai, Gerhard. *El fútbol como ideología*. México: Siglo XXI, 1974.

Volpicelli, Luigi. *Industrialismo y deporte*. Buenos Aires: Paidós, 1967.

Wolstenholme, Kenneth. *Profesionales del fútbol*. Barcelona: Molino, 1969.

Zito Lema, Vicente. *Conversaciones con Enrique Pichon-Rivière*. Buenos Aires: Cinco, 1991.

ÍNDICE

Confissão do autor / 9
O futebol / 10
O jogador / 11
O goleiro / 12
O ídolo / 13
O torcedor / 14
O fanático / 15
O gol / 16
O árbitro / 17
O técnico / 18
O teatro / 20
Os especialistas / 21
A linguagem dos doutores do futebol / 22
A guerra dançada / 23
A linguagem da guerra / 25
O estádio / 26
A bola / 27
As origens / 28
As regras do jogo / 33
As invasões inglesas / 35
O futebol nativo / 37
História de Fla e Flu / 40
O ópio dos povos? / 40
A bola como bandeira / 42
Os negros / 46
Zamora / 47
Samitier / 47
Morte no campo / 48
Friedenreich / 48
Da mutilação à plenitude / 49
O segundo descobrimento da América / 52
Andrade / 55
As *moñas* / 56
O gol olímpico / 57
Gol de Piendibene / 57
A chilena / 58
Scarone / 59
Gol de Scarone / 59
As forças ocultas / 60
Gol de Nolo / 61
A Copa de 30 / 61
Nasazzi / 63
Camus / 64
Os implacáveis / 65
O profissionalismo / 66
A Copa de 34 / 67
Deus e o Diabo no Rio de Janeiro / 68
As fontes da desgraça / 70
Talismãs e esconjuros / 71
Erico / 73
O Mundial de 38 / 74
Gol de Meazza / 77
Leônidas / 77
Domingos / 78
Domingos e ela / 79
Gol de Atílio / 79
O beijo perfeito que quer ser único / 80
A Máquina / 81
Moreno / 82

Pedernera / 83
Gol de Severino / 84
Bombas / 85
O homem que transformou
    o ferro em vento / 86
Uma terapia de vínculo / 87
Gol de Martino / 88
Gol de Heleno / 89
A Copa de 50 / 89
Obdulio / 92
Barbosa / 93
Gol de Zarra / 94
Gol de Zizinho / 95
Os engraçados / 95
O Mundial de 54 / 96
Gol de Rahn / 98
Os anúncios ambulantes / 99
Gol de Di Stéfano / 101
Di Stéfano / 102
Gol de Garrincha / 103
O Mundial de 58 / 103
Gol de Nilton Santos / 105
Garrincha / 106
Didi / 107
Didi e ela / 108
Kopa / 109
Carrizo / 109
Fervor da camisa / 110
Gol de Puskas / 113
Gol de Sanfilippo / 114
O Mundial de 62 / 115
Gol de Charlton / 118
Yashin / 119
Gol de Gento / 119

Seeler / 120
Matthews / 121
O Mundial de 66 / 121
Greaves / 124
Gol de Beckenbauer / 124
Eusébio / 125
A maldição das
    três traves / 126
Os anos do Peñarol / 127
Gol de Rocha / 128
Pobre mãezinha querida / 128
As lágrimas não vêm
    do lenço / 129
Gol de Pelé / 131
Pelé / 132
O Mundial de 70 / 133
Gol de Jairzinho / 135
A festa / 135
Os generais e o futebol / 136
Num piscar de olhos / 137
Gol de Maradona / 137
O Mundial de 74 / 138
Cruyff / 141
Müller / 142
Havelange / 142
Os donos da bola / 144
Jesus / 148
O Mundial de 78 / 149
A felicidade / 151
Gol de Gemmill / 153
Gol de Bettega / 154
Gol de Sunderland / 154
O Mundial de 82 / 155

Chifre em cabeça de cavalo / 157
Platini / 158
Os sacrifícios da festa pagã / 159
O Mundial de 86 / 163
A telecracia / 165
A sério e em série / 168
As farmácias ambulantes / 169
Os cânticos do desprezo / 170
Vale tudo / 172
Indigestão / 175
O Mundial de 90 / 176
Gol de Rincón / 178
Hugo Sánchez / 178
A cigarra e a formiga / 179
Gullit / 180
O parricídio / 181
Gol de Zico / 182
Um esporte de evasão / 183
O mundial de 94 / 186
Romário / 189
Baggio / 189
Numerozinhos / 190
A obrigação de perder / 191
O pecado de perder / 192
Maradona / 194
Eles não espetam nem cortam / 199
Uma indústria de exportação / 201
O fim da partida / 203

Depois do livro

O Mundial de 98 / 206
A Copa de 2002 / 214
A Copa do Mundo de 2006 / 219
A Copa do Mundo de 2010 / 225
A Copa do Mundo de 2014 / 234
As fontes / 237

Coleção L&PM POCKET

750. **Tito Andrônico** – Shakespeare
751. **Antologia poética** – Anna Akhmátova
752. **O melhor de Hagar 6** – Dik e Chris Browne
753.(12).**Michelangelo** – Nadine Sautel
754. **Dilbert (4)** – Scott Adams
755. **O jardim das cerejeiras** *seguido de* **Tio Vânia** – Tchékhov
756. **Geração Beat** – Claudio Willer
757. **Santos Dumont** – Alcy Cheuiche
758. **Budismo** – Claude B. Levenson
759. **Cleópatra** – Christian-Georges Schwentzel
760. **Revolução Francesa** – Frédéric Bluche, Stéphane Rials e Jean Tulard
761. **A crise de 1929** – Bernard Gazier
762. **Sigmund Freud** – Edson Sousa e Paulo Endo
763. **Império Romano** – Patrick Le Roux
764. **Cruzadas** – Cécile Morrisson
765. **O mistério do Trem Azul** – Agatha Christie
768. **Senso comum** – Thomas Paine
769. **O parque dos dinossauros** – Michael Crichton
770. **Trilogia da paixão** – Goethe
773. **Snoopy: No mundo da lua! (8)** – Charles Schulz
774. **Os Quatro Grandes** – Agatha Christie
775. **Um brinde de cianureto** – Agatha Christie
776. **Súplicas atendidas** – Truman Capote
779. **A viúva imortal** – Millôr Fernandes
780. **Cabala** – Roland Goetschel
781. **Capitalismo** – Claude Jessua
782. **Mitologia grega** – Pierre Grimal
783. **Economia: 100 palavras-chave** – Jean-Paul Betbèze
784. **Marxismo** – Henri Lefebvre
785. **Punição para a inocência** – Agatha Christie
786. **A extravagância do morto** – Agatha Christie
787.(13).**Cézanne** – Bernard Fauconnier
788. **A identidade Bourne** – Robert Ludlum
789. **Da tranquilidade da alma** – Sêneca
790. **Um artista da fome** *seguido de* **Na colônia penal e outras histórias** – Kafka
791. **Histórias de fantasmas** – Charles Dickens
796. **O Uraguai** – Basílio da Gama
797. **A mão misteriosa** – Agatha Christie
798. **Testemunha ocular do crime** – Agatha Christie
799. **Crepúsculo dos ídolos** – Friedrich Nietzsche
802. **O grande golpe** – Dashiell Hammett
803. **Humor barra pesada** – Nani
804. **Vinho** – Jean-François Gautier
805. **Egito Antigo** – Sophie Desplancques
806.(14).**Baudelaire** – Jean-Baptiste Baronian
807. **Caminho da sabedoria, caminho da paz** – Dalai Lama e Felizitas von Schönborn
808. **Senhor e servo e outras histórias** – Tolstói
809. **Os cadernos de Malte Laurids Brigge** – Rilke
810. **Dilbert (5)** – Scott Adams
811. **Big Sur** – Jack Kerouac
812. **Seguindo a correnteza** – Agatha Christie
813. **O álibi** – Sandra Brown
814. **Montanha-russa** – Martha Medeiros
815. **Coisas da vida** – Martha Medeiros
816. **A cantada infalível** *seguido de* **A mulher do centroavante** – David Coimbra
819. **Snoopy: Pausa para a soneca (9)** – Charles Schulz
820. **De pernas pro ar** – Eduardo Galeano
821. **Tragédias gregas** – Pascal Thiercy
822. **Existencialismo** – Jacques Colette
823. **Nietzsche** – Jean Granier
824. **Amar ou depender?** – Walter Riso
825. **Darmapada: A doutrina budista em versos**
826. **J'Accuse...! – a verdade em marcha** – Zola
827. **Os crimes ABC** – Agatha Christie
828. **Um gato entre os pombos** – Agatha Christie
831. **Dicionário de teatro** – Luiz Paulo Vasconcellos
832. **Cartas extraviadas** – Martha Medeiros
833. **A longa viagem de prazer** – J. J. Morosoli
834. **Receitas fáceis** – J. A. Pinheiro Machado
835.(14).**Mais fatos & mitos** – Dr. Fernando Lucchese
836.(15).**Boa viagem!** – Dr. Fernando Lucchese
837. **Aline: Finalmente nua!!!** (4) – Adão Iturrusgarai
838. **Mônica tem uma novidade!** – Mauricio de Sousa
839. **Cebolinha em apuros!** – Mauricio de Sousa
840. **Sócios no crime** – Agatha Christie
841. **Bocas do tempo** – Eduardo Galeano
842. **Orgulho e preconceito** – Jane Austen
843. **Impressionismo** – Dominique Lobstein
844. **Escrita chinesa** – Viviane Alleton
845. **Paris: uma história** – Yvan Combeau
846.(15).**Van Gogh** – David Haziot
848. **Portal do destino** – Agatha Christie
849. **O futuro de uma ilusão** – Freud
850. **O mal-estar na cultura** – Freud
853. **Um crime adormecido** – Agatha Christie
854. **Satori em Paris** – Jack Kerouac
855. **Medo e delírio em Las Vegas** – Hunter Thompson
856. **Um negócio fracassado e outros contos de humor** – Tchékhov
857. **Mônica está de férias!** – Mauricio de Sousa
858. **De quem é esse coelho?** – Mauricio de Sousa
860. **O mistério Sittaford** – Agatha Christie
861. **Manhã transfigurada** – L. A. de Assis Brasil
862. **Alexandre, o Grande** – Pierre Briant
863. **Jesus** – Charles Perrot
864. **Islã** – Paul Balta
865. **Guerra da Secessão** – Farid Ameur
866. **Um rio que vem da Grécia** – Cláudio Moreno
868. **Assassinato na casa do pastor** – Agatha Christie
869. **Manual do líder** – Napoleão Bonaparte
870.(16).**Billie Holiday** – Sylvia Fol
871. **Bidu arrasando!** – Mauricio de Sousa
872. **Os Sousa: Desventuras em família** – Mauricio de Sousa
874. **E no final a morte** – Agatha Christie

875. **Guia prático do Português correto – vol. 4** – Cláudio Moreno
876. **Dilbert (6)** – Scott Adams
877(17). **Leonardo da Vinci** – Sophie Chauveau
878. **Bella Toscana** – Frances Mayes
879. **A arte da ficção** – David Lodge
880. **Striptiras (4)** – Laerte
881. **Skrotinhos** – Angeli
882. **Depois do funeral** – Agatha Christie
883. **Radicci 7** – Iotti
884. **Walden** – H. D. Thoreau
885. **Lincoln** – Allen C. Guelzo
886. **Primeira Guerra Mundial** – Michael Howard
887. **A linha de sombra** – Joseph Conrad
888. **O amor é um cão dos diabos** – Bukowski
890. **Despertar: uma vida de Buda** – Jack Kerouac
891(18). **Albert Einstein** – Laurent Seksik
892. **Hell's Angels** – Hunter Thompson
893. **Ausência na primavera** – Agatha Christie
894. **Dilbert (7)** – Scott Adams
895. **Ao sul de lugar nenhum** – Bukowski
896. **Maquiavel** – Quentin Skinner
897. **Sócrates** – C.C.W. Taylor
899. **O Natal de Poirot** – Agatha Christie
900. **As veias abertas da América Latina** – Eduardo Galeano
901. **Snoopy: Sempre alerta! (10)** – Charles Schulz
902. **Chico Bento: Plantando confusão** – Mauricio de Sousa
903. **Penadinho: Quem é morto sempre aparece** – Mauricio de Sousa
904. **A vida sexual da mulher feia** – Claudia Tajes
905. **100 segredos de liquidificador** – José Antonio Pinheiro Machado
906. **Sexo muito prazer 2** – Laura Meyer da Silva
907. **Os nascimentos** – Eduardo Galeano
908. **As caras e as máscaras** – Eduardo Galeano
909. **O século do vento** – Eduardo Galeano
910. **Poirot perde uma cliente** – Agatha Christie
911. **Cérebro** – Michael O'Shea
912. **O escaravelho de ouro e outras histórias** – Edgar Allan Poe
913. **Piadas para sempre (4)** – Visconde da Casa Verde
914. **100 receitas de massas light** – Helena Tonetto
915(19). **Oscar Wilde** – Daniel Salvatore Schiffer
916. **Uma breve história do mundo** – H. G. Wells
917. **A Casa do Penhasco** – Agatha Christie
919. **John M. Keynes** – Bernard Gazier
920(20). **Virginia Woolf** – Alexandra Lemasson
921. **Peter e Wendy** seguido de **Peter Pan em Kensington Gardens** – J. M. Barrie
922. **Aline: numas de colegial (5)** – Adão Iturrusgarai
923. **Uma dose mortal** – Agatha Christie
924. **Os trabalhos de Hércules** – Agatha Christie
926. **Kant** – Roger Scruton
927. **A inocência do Padre Brown** – G.K. Chesterton
928. **Casa Velha** – Machado de Assis
929. **Marcas de nascença** – Nancy Huston
930. **Aulete de bolso**
931. **Hora Zero** – Agatha Christie
932. **Morte na Mesopotâmia** – Agatha Christie
934. **Nem te conto, João** – Dalton Trevisan
935. **As aventuras de Huckleberry Finn** – Mark Twain
936(21). **Marilyn Monroe** – Anne Plantagenet
937. **China moderna** – Rana Mitter
938. **Dinossauros** – David Norman
939. **Louca por homem** – Claudia Tajes
940. **Amores de alto risco** – Walter Riso
941. **Jogo de damas** – David Coimbra
942. **Filha é filha** – Agatha Christie
943. **M ou N?** – Agatha Christie
945. **Bidu: diversão em dobro!** – Mauricio de Sousa
946. **Fogo** – Anaïs Nin
947. **Rum: diário de um jornalista bêbado** – Hunter Thompson
948. **Persuasão** – Jane Austen
949. **Lágrimas na chuva** – Sergio Faraco
950. **Mulheres** – Bukowski
951. **Um pressentimento funesto** – Agatha Christie
952. **Cartas na mesa** – Agatha Christie
954. **O lobo do mar** – Jack London
955. **Os gatos** – Patricia Highsmith
956(22). **Jesus** – Christiane Rancé
957. **História da medicina** – William Bynum
958. **O Morro dos Ventos Uivantes** – Emily Brontë
959. **A filosofia na era trágica dos gregos** – Nietzsche
960. **Os treze problemas** – Agatha Christie
961. **A massagista japonesa** – Moacyr Scliar
963. **Humor do miserê** – Nani
964. **Todo o mundo tem dúvida, inclusive você** – Édison de Oliveira
965. **A dama do Bar Nevada** – Sergio Faraco
969. **O psicopata americano** – Bret Easton Ellis
970. **Ensaios de amor** – Alain de Botton
971. **O grande Gatsby** – F. Scott Fitzgerald
972. **Por que não sou cristão** – Bertrand Russell
973. **A Casa Torta** – Agatha Christie
974. **Encontro com a morte** – Agatha Christie
975(23). **Rimbaud** – Jean-Baptiste Baronian
976. **Cartas na rua** – Bukowski
977. **Memória** – Jonathan K. Foster
978. **A abadia de Northanger** – Jane Austen
979. **As pernas de Úrsula** – Claudia Tajes
980. **Retrato inacabado** – Agatha Christie
981. **Solanin (1)** – Inio Asano
982. **Solanin (2)** – Inio Asano
983. **Aventuras de menino** – Mitsuru Adachi
984(16). **Fatos & mitos sobre sua alimentação** – Dr. Fernando Lucchese
985. **Teoria quântica** – John Polkinghorne
986. **O eterno marido** – Fiódor Dostoiévski
987. **Um safado em Dublin** – J. P. Donleavy
988. **Mirinha** – Dalton Trevisan
989. **Akhenaton e Nefertiti** – Carmen Seganfredo e A. S. Franchini
990. **On the Road – o manuscrito original** – Jack Kerouac
991. **Relatividade** – Russell Stannard

- 992. **Abaixo de zero** – Bret Easton Ellis
- 993(24). **Andy Warhol** – Mériam Korichi
- 995. **Os últimos casos de Miss Marple** – Agatha Christie
- 996. **Nico Demo: Aí vem encrenca** – Mauricio de Sousa
- 998. **Rousseau** – Robert Wokler
- 999. **Noite sem fim** – Agatha Christie
- 1000. **Diários de Andy Warhol (1)** – Editado por Pat Hackett
- 1001. **Diários de Andy Warhol (2)** – Editado por Pat Hackett
- 1002. **Cartier-Bresson: o olhar do século** – Pierre Assouline
- 1003. **As melhores histórias da mitologia: vol. 1** – A.S. Franchini e Carmen Seganfredo
- 1004. **As melhores histórias da mitologia: vol. 2** – A.S. Franchini e Carmen Seganfredo
- 1005. **Assassinato no beco** – Agatha Christie
- 1006. **Convite para um homicídio** – Agatha Christie
- 1008. **História da vida** – Michael J. Benton
- 1009. **Jung** – Anthony Stevens
- 1010. **Arsène Lupin, ladrão de casaca** – Maurice Leblanc
- 1011. **Dublinenses** – James Joyce
- 1012. **120 tirinhas da Turma da Mônica** – Mauricio de Sousa
- 1013. **Antologia poética** – Fernando Pessoa
- 1014. **A aventura de um cliente ilustre** *seguido de* **O último adeus de Sherlock Holmes** – Sir Arthur Conan Doyle
- 1015. **Cenas de Nova York** – Jack Kerouac
- 1016. **A corista** – Anton Tchékhov
- 1017. **O diabo** – Leon Tolstói
- 1018. **Fábulas chinesas** – Sérgio Capparelli e Márcia Schmaltz
- 1019. **O gato do Brasil** – Sir Arthur Conan Doyle
- 1020. **Missa do Galo** – Machado de Assis
- 1021. **O mistério de Marie Rogêt** – Edgar Allan Poe
- 1022. **A mulher mais linda da cidade** – Bukowski
- 1023. **O retrato** – Nicolai Gogol
- 1024. **O conflito** – Agatha Christie
- 1025. **Os primeiros casos de Poirot** – Agatha Christie
- 1027(25). **Beethoven** – Bernard Fauconnier
- 1028. **Platão** – Julia Annas
- 1029. **Cleo e Daniel** – Roberto Freire
- 1030. **Til** – José de Alencar
- 1031. **Viagens na minha terra** – Almeida Garrett
- 1032. **Profissões para mulheres e outros artigos feministas** – Virginia Woolf
- 1033. **Mrs. Dalloway** – Virginia Woolf
- 1034. **O cão da morte** – Agatha Christie
- 1035. **Tragédia em três atos** – Agatha Christie
- 1037. **O fantasma da Ópera** – Gaston Leroux
- 1038. **Evolução** – Brian e Deborah Charlesworth
- 1039. **Medida por medida** – Shakespeare
- 1040. **Razão e sentimento** – Jane Austen
- 1041. **A obra-prima ignorada** *seguido de* **Um episódio durante o Terror** – Balzac
- 1042. **A fugitiva** – Anaïs Nin
- 1043. **As grandes histórias da mitologia greco-romana** – A. S. Franchini
- 1044. **O corno de si mesmo & outras historietas** – Marquês de Sade
- 1045. **Da felicidade** *seguido de* **Da vida retirada** – Sêneca
- 1046. **O horror em Red Hook e outras histórias** – H. P. Lovecraft
- 1047. **Noite em claro** – Martha Medeiros
- 1048. **Poemas clássicos chineses** – Li Bai, Du Fu e Wang Wei
- 1049. **A terceira moça** – Agatha Christie
- 1050. **Um destino ignorado** – Agatha Christie
- 1051(26). **Buda** – Sophie Royer
- 1052. **Guerra Fria** – Robert J. McMahon
- 1053. **Simons's Cat: as aventuras de um gato travesso e comilão – vol. 1** – Simon Tofield
- 1054. **Simons's Cat: as aventuras de um gato travesso e comilão – vol. 2** – Simon Tofield
- 1055. **Só as mulheres e as baratas sobreviverão** – Claudia Tajes
- 1057. **Pré-história** – Chris Gosden
- 1058. **Pintou sujeira!** – Mauricio de Sousa
- 1059. **Contos de Mamãe Gansa** – Charles Perrault
- 1060. **A interpretação dos sonhos: vol. 1** – Freud
- 1061. **A interpretação dos sonhos: vol. 2** – Freud
- 1062. **Frufru Rataplã Dolores** – Dalton Trevisan
- 1063. **As melhores histórias da mitologia egípcia** – Carmem Seganfredo e A.S. Franchini
- 1064. **Infância. Adolescência. Juventude** – Tolstói
- 1065. **As consolações da filosofia** – Alain de Botton
- 1066. **Diários de Jack Kerouac – 1947-1954**
- 1067. **Revolução Francesa – vol. 1** – Max Gallo
- 1068. **Revolução Francesa – vol. 2** – Max Gallo
- 1069. **O detetive Parker Pyne** – Agatha Christie
- 1070. **Memórias do esquecimento** – Flávio Tavares
- 1071. **Drogas** – Leslie Iversen
- 1072. **Manual de ecologia (vol.2)** – J. Lutzenberger
- 1073. **Como andar no labirinto** – Affonso Romano de Sant'Anna
- 1074. **A orquídea e o serial killer** – Juremir Machado da Silva
- 1075. **Amor nos tempos de fúria** – Lawrence Ferlinghetti
- 1076. **A aventura do pudim de Natal** – Agatha Christie
- 1078. **Amores que matam** – Patricia Faur
- 1079. **Histórias de pescador** – Mauricio de Sousa
- 1080. **Pedaços de um caderno manchado de vinho** – Bukowski
- 1081. **A ferro e fogo: tempo de solidão (vol.1)** – Josué Guimarães
- 1082. **A ferro e fogo: tempo de guerra (vol.2)** – Josué Guimarães
- 1084(17). **Desembarcando o Alzheimer** – Dr. Fernando Lucchese e Dra. Ana Hartmann
- 1085. **A maldição do espelho** – Agatha Christie
- 1086. **Uma breve história da filosofia** – Nigel Warburton
- 1088. **Heróis da História** – Will Durant
- 1089. **Concerto campestre** – L. A. de Assis Brasil
- 1090. **Morte nas nuvens** – Agatha Christie
- 1092. **Aventura em Bagdá** – Agatha Christie

1093. O cavalo amarelo – Agatha Christie
1094. O método de interpretação dos sonhos – Freud
1095. Sonetos de amor e desamor – Vários
1096. 120 tirinhas do Dilbert – Scott Adams
1097. 200 fábulas de Esopo
1098. O curioso caso de Benjamin Button – F. Scott Fitzgerald
1099. Piadas para sempre: uma antologia para morrer de rir – Visconde da Casa Verde
1100. Hamlet (Mangá) – Shakespeare
1101. A arte da guerra (Mangá) – Sun Tzu
1104. As melhores histórias da Bíblia (vol.1) – A. S. Franchini e Carmen Seganfredo
1105. As melhores histórias da Bíblia (vol.2) – A. S. Franchini e Carmen Seganfredo
1106. Psicologia das massas e análise do eu – Freud
1107. Guerra Civil Espanhola – Helen Graham
1108. A autoestrada do sul e outras histórias – Julio Cortázar
1109. O mistério dos sete relógios – Agatha Christie
1110. Peanuts: Ninguém gosta de mim... (amor) – Charles Schulz
1111. Cadê o bolo? – Mauricio de Sousa
1112. O filósofo ignorante – Voltaire
1113. Totem e tabu – Freud
1114. Filosofia pré-socrática – Catherine Osborne
1115. Desejo de status – Alain de Botton
1118. Passageiro para Frankfurt – Agatha Christie
1120. Kill All Enemies – Melvin Burgess
1121. A morte da sra. McGinty – Agatha Christie
1122. Revolução Russa – S. A. Smith
1123. Até você, Capitu? – Dalton Trevisan
1124. O grande Gatsby (Mangá) – F. S. Fitzgerald
1125. Assim falou Zaratustra (Mangá) – Nietzsche
1126. Peanuts: É para isso que servem os amigos (amizade) – Charles Schulz
1127.(27). Nietzsche – Dorian Astor
1128. Bidu: Hora do banho – Mauricio de Sousa
1129. O melhor do Macanudo Taurino – Santiago
1130. Radicci 30 anos – Iotti
1131. Show de sabores – J.A. Pinheiro Machado
1132. O prazer das palavras – vol. 3 – Cláudio Moreno
1133. Morte na praia – Agatha Christie
1134. O fardo – Agatha Christie
1135. Manifesto do Partido Comunista (Mangá) – Marx & Engels
1136. A metamorfose (Mangá) – Franz Kafka
1137. Por que você não se casou... ainda – Tracy McMillan
1138. Textos autobiográficos – Bukowski
1139. A importância de ser prudente – Oscar Wilde
1140. Sobre a vontade na natureza – Arthur Schopenhauer
1141. Dilbert (8) – Scott Adams
1142. Entre dois amores – Agatha Christie
1143. Cipreste triste – Agatha Christie
1144. Alguém viu uma assombração? – Mauricio de Sousa
1145. Mandela – Elleke Boehmer
1146. Retrato do artista quando jovem – James Joyce
1147. Zadig ou o destino – Voltaire
1148. O contrato social (Mangá) – J.-J. Rousseau
1149. Garfield fenomenal – Jim Davis
1150. A queda da América – Allen Ginsberg
1151. Música na noite & outros ensaios – Aldous Huxley
1152. Poesias inéditas & Poemas dramáticos – Fernando Pessoa
1153. Peanuts: Felicidade é... – Charles M. Schulz
1154. Mate-me por favor – Legs McNeil e Gillian McCain
1155. Assassinato no Expresso Oriente – Agatha Christie
1156. Um punhado de centeio – Agatha Christie
1157. A interpretação dos sonhos (Mangá) – Freud
1158. Peanuts: Você não entende o sentido da vida – Charles M. Schulz
1159. A dinastia Rothschild – Herbert R. Lottman
1160. A Mansão Hollow – Agatha Christie
1161. Nas montanhas da loucura – H.P. Lovecraft
1162.(28). Napoleão Bonaparte – Pascale Fautrier
1163. Um corpo na biblioteca – Agatha Christie
1164. Inovação – Mark Dodgson e David Gann
1165. O que toda mulher deve saber sobre os homens: a afetividade masculina – Walter Riso
1166. O amor está no ar – Mauricio de Sousa
1167. Testemunha de acusação & outras histórias – Agatha Christie
1168. Etiqueta de bolso – Celia Ribeiro
1169. Poesia reunida (volume 3) – Affonso Romano de Sant'Anna
1170. Emma – Jane Austen
1171. Que seja em segredo – Ana Miranda
1172. Garfield sem apetite – Jim Davis
1173. Garfield: Foi mal... – Jim Davis
1174. Os irmãos Karamázov (Mangá) – Dostoiévski
1175. O Pequeno Príncipe – Antoine de Saint-Exupéry
1176. Peanuts: Ninguém mais tem o espírito aventureiro – Charles M. Schulz
1177. Assim falou Zaratustra – Nietzsche
1178. Morte no Nilo – Agatha Christie
1179. Ê, soneca boa – Mauricio de Sousa
1180. Garfield a todo o vapor – Jim Davis
1181. Em busca do tempo perdido (Mangá) – Proust
1182. Cai o pano: o último caso de Poirot – Agatha Christie
1183. Livro para colorir e relaxar – Livro 1
1184. Para colorir sem parar
1185. Os elefantes não esquecem – Agatha Christie
1186. Teoria da relatividade – Albert Einstein
1187. Compêndio da psicanálise – Freud
1188. Visões de Gerard – Jack Kerouac
1189. Fim de verão – Mohiro Kitoh
1190. Procurando diversão – Mauricio de Sousa
1191. E não sobrou nenhum e outras peças – Agatha Christie
1192. Ansiedade – Daniel Freeman & Jason Freeman

1193. **Garfield: pausa para o almoço** – Jim Davis
1194. **Contos do dia e da noite** – Guy de Maupassant
1195. **O melhor de Hagar 7** – Dik Browne
1196.(29).**Lou Andreas-Salomé** – Dorian Astor
1197.(30).**Pasolini** – René de Ceccatty
1198. **O caso do Hotel Bertram** – Agatha Christie
1199. **Crônicas de motel** – Sam Shepard
1200. **Pequena filosofia da paz interior** – Catherine Rambert
1201. **Os sertões** – Euclides da Cunha
1202. **Treze à mesa** – Agatha Christie
1203. **Bíblia** – John Riches
1204. **Anjos** – David Albert Jones
1205. **As tirinhas do Guri de Uruguaiana 1** – Jair Kobe
1206. **Entre aspas (vol.1)** – Fernando Eichenberg
1207. **Escrita** – Andrew Robinson
1208. **O spleen de Paris: pequenos poemas em prosa** – Charles Baudelaire
1209. **Satíricon** – Petrônio
1210. **O avarento** – Molière
1211. **Queimando na água, afogando-se na chama** – Bukowski
1212. **Miscelânea septuagenária: contos e poemas** – Bukowski
1213. **Que filosofar é aprender a morrer e outros ensaios** – Montaigne
1214. **Da amizade e outros ensaios** – Montaigne
1215. **O medo à espreita e outras histórias** – H.P. Lovecraft
1216. **A obra de arte na era de sua reprodutibilidade técnica** – Walter Benjamin
1217. **Sobre a liberdade** – John Stuart Mill
1218. **O segredo de Chimneys** – Agatha Christie
1219. **Morte na rua Hickory** – Agatha Christie
1220. **Ulisses (Mangá)** – James Joyce
1221. **Ateísmo** – Julian Baggini
1222. **Os melhores contos de Katherine Mansfield** – Katherine Mansfield
1223.(31).**Martin Luther King** – Alain Foix
1224. **Millôr Definitivo: uma antologia de *A Bíblia do Caos*** – Millôr Fernandes
1225. **O Clube das Terças-Feiras e outras histórias** – Agatha Christie
1226. **Por que sou tão sábio** – Nietzsche
1227. **Sobre a mentira** – Platão
1228. **Sobre a leitura *seguido do* Depoimento de Céleste Albaret** – Proust
1229. **O homem do terno marrom** – Agatha Christie
1230.(32).**Jimi Hendrix** – Franck Médioni
1231. **Amor e amizade e outras histórias** – Jane Austen
1232. **Lady Susan, Os Watson e Sanditon** – Jane Austen
1233. **Uma breve história da ciência** – William Bynum
1234. **Macunaíma: o herói sem nenhum caráter** – Mário de Andrade
1235. **A máquina do tempo** – H.G. Wells
1236. **O homem invisível** – H.G. Wells
1237. **Os 36 estratagemas: manual secreto da arte da guerra** – Anônimo
1238. **A mina de ouro e outras histórias** – Agatha Christie
1239. **Pic** – Jack Kerouac
1240. **O habitante da escuridão e outros contos** – H.P. Lovecraft
1241. **O chamado de Cthulhu e outros contos** – H.P. Lovecraft
1242. **O melhor de Meu reino por um cavalo!** – Edição de Ivan Pinheiro Machado
1243. **A guerra dos mundos** – H.G. Wells
1244. **O caso da criada perfeita e outras histórias** – Agatha Christie
1245. **Morte por afogamento e outras histórias** – Agatha Christie
1246. **Assassinato no Comitê Central** – Manuel Vázquez Montalbán
1247. **O papai é pop** – Marcos Piangers
1248. **O papai é pop 2** – Marcos Piangers
1249. **A mamãe é rock** – Ana Cardoso
1250. **Paris boêmia** – Dan Franck
1251. **Paris libertária** – Dan Franck
1252. **Paris ocupada** – Dan Franck
1253. **Uma anedota infame** – Dostoiévski
1254. **O último dia de um condenado** – Victor Hugo
1255. **Nem só de caviar vive o homem** – J.M. Simmel
1256. **Amanhã é outro dia** – J.M. Simmel
1257. **Mulherzinhas** – Louisa May Alcott
1258. **Reforma Protestante** – Peter Marshall
1259. **História econômica global** – Robert C. Allen
1260.(33).**Che Guevara** – Alain Foix
1261. **Câncer** – Nicholas James
1262. **Akhenaton** – Agatha Christie
1263. **Aforismos para a sabedoria de vida** – Arthur Schopenhauer
1264. **Uma história do mundo** – David Coimbra
1265. **Ame e não sofra** – Walter Riso
1266. **Desapegue-se!** – Walter Riso
1267. **Os Sousa: Uma família do barulho** – Mauricio de Sousa
1268. **Nico Demo: O rei da travessura** – Mauricio de Sousa
1269. **Testemunha de acusação e outras peças** – Agatha Christie
1270.(34).**Dostoiévski** – Virgil Tanase
1271. **O melhor de Hagar 8** – Dik Browne
1272. **O melhor de Hagar 9** – Dik Browne
1273. **O melhor de Hagar 10** – Dik e Chris Browne
1274. **Considerações sobre o governo representativo** – John Stuart Mill
1275. **O homem Moisés e a religião monoteísta** – Freud
1276. **Inibição, sintoma e medo** – Freud
1277. **Além do princípio de prazer** – Freud
1278. **O direito de dizer não!** – Walter Riso

1279. **A arte de ser flexível** – Walter Riso
1280. **Casados e descasados** – August Strindberg
1281. **Da Terra à Lua** – Júlio Verne
1282. **Minhas galerias e meus pintores** – Kahnweiler
1283. **A arte do romance** – Virginia Woolf
1284. **Teatro completo v. 1: As aves da noite** *seguido de* **O visitante** – Hilda Hilst
1285. **Teatro completo v. 2: O verdugo** *seguido de* **A morte do patriarca** – Hilda Hilst
1286. **Teatro completo v. 3: O rato no muro** *seguido de* **Auto da barca de Camiri** – Hilda Hilst
1287. **Teatro completo v. 4: A empresa** *seguido de* **O novo sistema** – Hilda Hilst
1289. **Fora de mim** – Martha Medeiros
1290. **Divã** – Martha Medeiros
1291. **Sobre a genealogia da moral: um escrito polêmico** – Nietzsche
1292. **A consciência de Zeno** – Italo Svevo
1293. **Células-tronco** – Jonathan Slack
1294. **O fim do ciúme e outros contos** – Proust
1295. **A jangada** – Júlio Verne
1296. **A ilha do dr. Moreau** – H.G. Wells
1297. **Ninho de fidalgos** – Ivan Turguêniev
1298. **Jane Eyre** – Charlotte Brontë
1299. **Sobre gatos** – Bukowski
1300. **Sobre o amor** – Bukowski
1301. **Escrever para não enlouquecer** – Bukowski
1302. **222 receitas** – J. A. Pinheiro Machado
1303. **Reinações de Narizinho** – Monteiro Lobato
1304. **O Saci** – Monteiro Lobato
1305. **Memórias da Emília** – Monteiro Lobato
1306. **O Picapau Amarelo** – Monteiro Lobato
1307. **A reforma da Natureza** – Monteiro Lobato
1308. **Fábulas** *seguido de* **Histórias diversas** – Monteiro Lobato
1309. **Aventuras de Hans Staden** – Monteiro Lobato
1310. **Peter Pan** – Monteiro Lobato
1311. **Dom Quixote das crianças** – Monteiro Lobato
1312. **O Minotauro** – Monteiro Lobato
1313. **Um quarto só seu** – Virginia Woolf
1314. **Sonetos** – Shakespeare
1315(35). **Thoreau** – Marie Berthoumieu e Laura El Makki
1316. **Teoria da arte** – Cynthia Freeland
1317. **A arte da prudência** – Baltasar Gracián
1318. **O louco** *seguido de* **Areia e espuma** – Khalil Gibran
1319. **O profeta** *seguido de* **O jardim do profeta** – Khalil Gibran
1320. **Jesus, o Filho do Homem** – Khalil Gibran
1321. **A luta** – Norman Mailer
1322. **Sobre o sofrimento do mundo e outros ensaios** – Schopenhauer
1323. **Epidemiologia** – Rodolfo Sacacci
1324. **Japão moderno** – Christopher Goto-Jones
1325. **A arte da meditação** – Matthieu Ricard
1326. **O adversário secreto** – Agatha Christie
1327. **Pollyanna** – Eleanor H. Porter
1328. **Espelhos** – Eduardo Galeano
1329. **A Vênus das peles** – Sacher-Masoch
1330. **O 18 de brumário de Luís Bonaparte** – Karl Marx
1331. **Um jogo para os vivos** – Patricia Highsmith
1332. **A tristeza pode esperar** – J.J. Camargo
1333. **Vinte poemas de amor e uma canção desesperada** – Pablo Neruda
1334. **Judaísmo** – Norman Solomon
1335. **Esquizofrenia** – Christopher Frith & Eve Johnstone
1336. **Seis personagens em busca de um autor** – Luigi Pirandello
1337. **A Fazenda dos Animais** – George Orwell
1338. **1984** – George Orwell
1339. **Ubu Rei** – Alfred Jarry
1340. **Sobre bêbados e bebidas** – Bukowski
1341. **Tempestade para os vivos e para os mortos** – Bukowski
1342. **Complicado** – Natsume Ono
1343. **Sobre o livre-arbítrio** – Schopenhauer
1344. **Uma breve história da literatura** – John Sutherland
1345. **Você fica tão sozinho às vezes que até faz sentido** – Bukowski
1346. **Um apartamento em Paris** – Guillaume Musso
1347. **Receitas fáceis e saborosas** – José Antonio Pinheiro Machado
1348. **Por que engordamos** – Gary Taubes
1349. **A fabulosa história do hospital** – Jean-Noël Fabiani
1350. **Voo noturno** *seguido de* **Terra dos homens** – Antoine de Saint-Exupéry
1351. **Doutor Sax** – Jack Kerouac
1352. **O livro do Tao e da virtude** – Lao-Tsé
1353. **Pista negra** – Antonio Manzini
1354. **A chave de vidro** – Dashiell Hammett
1355. **Martin Eden** – Jack London
1356. **Já te disse adeus, e agora, como te esqueço?** – Walter Riso
1357. **A viagem do descobrimento** – Eduardo Bueno
1358. **Náufragos, traficantes e degredados** – Eduardo Bueno
1359. **Retrato do Brasil** – Paulo Prado
1360. **Maravilhosamente imperfeito, escandalosamente feliz** – Walter Riso
1361. **É...** – Millôr Fernandes
1362. **Duas tábuas e uma paixão** – Millôr Fernandes
1363. **Selma e Sinatra** – Martha Medeiros
1364. **Tudo que eu queria te dizer** – Martha Medeiros
1365. **Várias histórias** – Machado de Assis
1366. **A sabedoria do Padre Brown** – G. K. Chesterton
1367. **Capitães do Brasil** – Eduardo Bueno
1368. **O falcão maltês** – Dashiell Hammett
1369. **A arte de estar com a razão** – Arthur Schopenhauer
1370. **A visão dos vencidos** – Miguel León-Portilla

lepmeditores
www.lpm.com.br
o site que conta tudo

IMPRESSÃO:

PALLOTTI
GRÁFICA

Santa Maria - RS | Fone: (55) 3220.4500
www.graficapallotti.com.br